EL DUENDE VERDE

Para la explotación en el aula de este libro, existe un material con sugerencias didácticas y actividades que está a disposición del profesorado en nuestra web.

© Del texto: Jordi Sierra i Fabra, 2007
www.sierraifabra.com
© De las ilustraciones: Pablo Núñez, 2007
© De esta edición: Grupo Anaya, S.A., 2007
Juan Ignacio Luca de Tena, 15. 28027 Madrid
www.anayainfantilyjuvenil.com
e-mail: anayainfantilyjuvenil@anaya.es

1.ª edición, abril 2007
13.ª impr., octubre 2011

Diseño: Taller Universo
ISBN: 978-84-667-6252-6
Depósito legal: M.41420 /2011

Impreso en Estudios Gráficos Europeos, S.A.
Polígono Industrial Neisa Sur
Avda. Andalucía, km 10,300
28021 Madrid
Impreso en España - Printed in Spain

Las normas ortográficas seguidas en este libro
son las establecidas por la Real Academia Española
en su última edición de la *Ortografía*, del año 1999.

EL DUENDE VERDE

Jordi Sierra i Fabra

EL ASESINATO DE LA PROFESORA DE LENGUA

Ilustración: Pablo Núñez

QUERIDO LECTOR

Hace unos años publiqué aquí mismo, en esta colección, «El asesinato del profesor de matemáticas». Fue mi venganza por lo mal que me trataron mis profes de mates en la infancia. Lo cierto es que las matemáticas son hermosas... si te dicen que son un juego maravilloso. Pero nadie te lo dice. Lo descubrí de mayor y por eso creé el personaje de un profe fantástico que quiere que sus alumnos aprueben.

Ahora tienes en las manos «El asesinato de la profesora de lengua». Este caso es distinto. Yo amo la literatura, la palabra escrita, escribir, leer. Tenemos la suerte de estar vivos y de tener libros. ¿Se puede pedir algo más? Yo creo que no. Es cierto que de niño ya escribía como un loco, dejando volar mi imaginación. También tuve, eso sí, una profesora de lengua que me ponía ceros por tener fantasía, pero son cosas que pasan. Hoy el único motivo de que una maestra de lengua se vuelva loca (como sucede

en este libro) y amenace con
espachurrar a uno de sus alumnos,
es que ellos no lean. ¿Es tu caso?
¿Es vuestro caso? Pues cuidado:
el día menos pensado la profesora
o el profesor de lengua puede que
se harten y que hagan como la de
esta novela.

Yo os aviso.

De todas formas, si leéis esto
y descifráis las pruebas despacio,
sin saltároslas, veréis que no es
tan fiero el león como lo pintan.
Quería demostraros que escribir
y leer también es un juego.

De ingenio, claro, y sin mandos
ni tres vidas.

Que os vaya muy bien en esta
experiencia literaria.

Capítulo
SILVIA Y BR**UNO**
Lewis Carroll

EN el mismo momento en que la SOS entró en clase, se dieron cuenta de que algo sucedía.

Era una mujer menuda, frágil, llena de entusiasmo y bondad, con un rostro suave y amable. La llamaban SOS, por esa razón. Parecía estar pidiendo socorro. En realidad, eran las iniciales de su nombre: Soledad Olmedo Sánchez.

A la mayoría de los que tenían el nombre formado por iniciales curiosas, les bautizaban con ellas o con su significado. Un juego que en el caso de la profesora de lengua se reservaba solo para los alumnos, aunque estaban seguros de que ella lo sabía. Los profesores siempre sabían más de lo que aparentaban, pero eran un mundo en sí mismos, impenetrable. El poderoso mundo que les aprobaba o suspendía a fin de curso.

—Seño, tiene mala cara —dijo Matilde Sempere, siempre preocupada por la salud de los demás.

La señorita Soledad alcanzó la mesa, dejó los libros que siempre cargaba sobre ella y los abarcó con una mirada de agotamiento antes de dirigirse a Matilde y responderle:

—Sí, no me encuentro muy bien.

—¿Por qué no se ha quedado en la cama? —propuso Estanislao Costa, sin ocultar ni disimular su interés de que tal probabilidad se confirmase.

—No es una enfermedad de las de guardar cama —suspiró rendida, apoyándose en la mesa—. Es más bien... frustración —les abarcó de nuevo con sus ojos empequeñecidos, como si un peso insondable tirase de ella desde el interior, a punto de arrastrarla al abismo—. Los exámenes de ayer...

El silencio fue ominoso.

Los exámenes, claro.

—Pero bueno, ¿qué os pasa? —exclamó la profesora de lengua.

El silencio se hizo aún más espeso.

—La mitad de la clase ha hecho más de diez faltas en una redacción de un folio. ¡Un folio! —estalló—. Únicamente dos no habéis hecho ninguna falta, y al menos un tercio no ha leído el libro que os mandé leer —su voz sobrevoló el silencio igual que un pájaro de mal agüero. No recordaban haberla visto así jamás, tan... abatida. Sí, mucho más que enfadada: abatida—. ¡Sois tan tontos que incluso copiáis tal cual esa página de internet que os sopla las chuletas! ¡Tal cual! ¡Ni os molestáis en hacer el menor esfuerzo por cambiar una palabra! ¡Es que no ponéis nada de vuestra parte! —hizo una breve pausa antes de volver a preguntar—: ¿Qué os pasa?

Los rostros, por raro que pareciera, se mostraron graves. Si hasta la SOS se ponía mal y en su contra...

—Tú, Tasio —se dirigió a TNT.

El chico se quedó blanco.

—A mí no me pasa nada —respondió asustado.

—¿Ah, no? —insistió ella—. ¿Por qué no leíste el libro?

—No tuve tiempo.

—¡No digas tonterías!

—En serio —insistió él.

—¿Y tú, Gaspar? —le tocó el turno a GOL.

—No me gusta leer —fue sincero.

—Eso ya lo sé.

—Pues ya está —pareció desafiarla, aunque no era esa su intención.

—¡Es una novela genial, divertida, que se lee en un plis plas! —gritó la profesora—. ¡Por Dios, a mí me hacían leer *El Quijote*!

—A usted le gusta leer, pero a mí no —se mantuvo en sus trece Gaspar—. Y eso de que se lee en un plis plas... Tiene cien páginas, y sin dibujos.

La señorita Soledad se sintió desfallecer.

—¿Dibujos? ¡Que tienes catorce años, hijo!

Tasio Nerea Tarrago, alias TNT, y Gaspar Oñate Lamela, alias GOL, se miraron entre sí. Eran los más peleones de la clase. Si se sorteaba una torta, se la llevaban al alimón. Ni las matemáticas ni la lengua iban con ellos. Por lo demás, todos les apreciaban. Eran sinceros, directos, legales... Y encima inteligentes.

Los maestros lo decían. Su frase predilecta era: «Si pusierais algo de vuestra parte...». Y ya lo intentaban, ya. Lo malo es que no lo conseguían.

La profesora de lengua se pasó una mano por los ojos.

Envejeció diez años de golpe.

—¿No os dais cuenta de que a los treinta años tendréis esto seco? —se llevó una mano a la frente con doloroso patetismo—. No sabréis pensar y seréis tontos. Pero no tontos a secas, sino rematadamente tontos. Y no me digáis que falta mucho para eso y que tal y cual. Los tendréis. ¿Queréis ser unos idiotas, sin poder hablar con nadie, con un trabajo asqueroso porque careceréis de un mínimo de cultura? —aumentó el tono de voz al irse caldeando—. ¡Se aprende más leyendo que estudiando! ¡Un día llegaréis a los 70 años y entonces, ¿qué?! ¿Os sentaréis en un parque mirando al infinito, jubilados pero no felices, muertos en vida y dándoos cuenta, demasiado tarde, de que habéis tirado lo único que teníais: la existencia? ¡Santo cielo, no seáis unos frustrados, porque es lo peor que hay! ¡Os estáis jugando el futuro, aquí, ahora! ¡Todo está en los libros! ¡La cultura no es venir a clase cada día, aprenderos las lecciones como loros, que os pongan un cinco pelado y pasar el curso! ¡La cultura es absorber la vida, aquí dentro y ahí afuera, estar abiertos a todo, no pasar de nada, tener curiosidad, y por encima de todo leer y leer, para ser felices, aprender, entender las cosas, hacer que el cerebro se engrase!

Dejó su agitada perorata y se enfrentó a sus semblantes serios.

Nunca la habían visto así.

¡La SOS gritando!

—Pues se acabó —recuperó su tono más sereno, aunque no exento de tensión—. Ya sé que todo esto que os he dicho os suena a paliza, así que yo... me rindo. Fin del buen rollo, como decís vosotros. Me voy a poner más que dura. Desde ahora, nada de cuatros con esperanza o cincos pelados. ¡Una sola falta será un cero!

Hubo un murmullo.

Un revuelo.

—Oiga, que así suspendemos todos —protestó Elvira Roca.

—Ni más ni menos —la señorita Soledad se cruzó de brazos.

—¿Eso es legal? —preguntó Pablo Antonio Valero Orihuela, al que por supuesto llamaban PAVO.

—Esta es mi clase.

—Pero no es justo —intervino Eulalia Rincón.

—Menos justo es que castiguéis así vuestra vida y vuestro futuro. Yo... no puedo más. Lo siento. No-pue-do-más —lo deletreó sílaba por sílaba para dejarlo aún más claro—. Si fuerais tontos, lo entendería, pero no lo sois. Vagos, inconscientes y estúpidos sí, pero tontos, no. He fracasado en la misión de haceros entender que podéis, y sin mucho esfuerzo, aunque no lo creáis. Por lo tanto...

Dejó la parte frontal de la mesa y se sentó en su silla. Luego tomó una novela que llevaba entre sus libros y se puso a leerla como si tal cosa, pasando de ellos.

Primero, les pareció divertido.

Transcurrieron los primeros segundos, casi un minuto.

Hasta que llegó el primer rumor.

—¡Callaos! —ordenó ella—. Por lo menos dejadme leer en paz.

La estupefacción aumentó.

—Señorita... ¿no damos clase? —preguntó por fin Manuel Martínez.

—¿Clase? —levantó los ojos del libro y alzó las cejas—. ¿Para qué? No sirve de nada. Y a mí, desde luego, no me gusta perder el tiempo.

Continuó leyendo su novela.

Ya no se oyó ni una mosca.

Capítulo
HISTORIA DE **DOS** CIUDADES
Charles Dickens

A la hora del recreo, no se hablaba de otra cosa.

—Qué fuerte, ¿no?

—Una pasada.

—¿Ya no vamos a dar clase de lengua lo que queda de curso?

—¿Cómo no vamos a dar clase de lengua, hombre?

—Pues ya me dirás.

—Mañana estará bien.

—¿Y si no lo está? A la Úrsula tuvieron que llevarla al hospital.

—Porque se le cruzaron los cables y se volvió loca de golpe.

—Pues la SOS está en camino.

—No seáis bestias, va. A todos nos cae bien, ¿no?

Tuvieron que admitir que sí, que de largo era la mejor.

—Ya, pero caen como moscas.

La reflexión de Ana Álvarez Aroca, rebautizada como Triple A, les alcanzó de lleno. Por sus mentes pasaron no solo la señora Úrsula, hospitalizada de urgencia, sino también el profesor Sancho y la profesora Asunción, de baja por depresiones de caballo.

—Parecemos asesinos en serie —admitió Sonia Romero.

—Menuda racha llevamos.

Salvo Ana, que era del grupo de las listas, se habían quedado solos los peores de la clase: Tasio, Gaspar, Sonia, Pedro y Fernando. Los seis intercambiaron miradas culpables.

—El otro día dijeron en la tele que ser profe tiene casi tanto riesgo como ser corresponsal de guerra. A muchos los acosan, y los alumnos más bestias van a por ellos. Ruedas pinchadas, pintadas, bromas pesadas...

—Nosotros no hemos llegado a eso —quiso dejarlo claro Gaspar.

—Pues en el fondo es lo mismo —suspiró Ana—. La señorita Soledad se siente muy herida, como si le hubiésemos fallado. Yo nunca la había visto así.

—¿Y qué quieres que le hagamos, Triple A? —se ensombreció Tasio.

—Tampoco nos pide tanto.

—Yo iba a leerme el libro —dijo sin mucho convencimiento Gaspar.

—Y yo —le secundó Tasio.

—Ya —bufó Ana.

—¿Por qué no me decíais que lo habíais sacado todo de internet? —refunfuñó Sonia.

—¿Y tú? ¿Por qué no lo decías tú? —protestó Pedro.

—No se me ocurrió —admitió la chica.

—Si lo malo no es sacarlo de internet. Lo malo es copiarlo tal cual —puso el dedo en la llaga Fernando—. Ahí sí se ve lo burros que somos.

—Pues ahora vamos a pringar todos, está claro.

El abatimiento les pudo.

Un panorama gris, casi negro, se cernía sobre ellos.

Y la crisis parecía no haber hecho más que empezar.

—A mi padre, si le llevo un cuatro, siempre puedo decirle que metí la pata, y que en septiembre recupero, pero un cero...

—Un cero pesa.

—Jo, si pesa.

Siguieron deprimidos.

Tasio y Gaspar miraron a Ana. Siempre estaban juntos, inseparables, TNT, GOL y Triple A, pero a diferencia de los dos chicos, a ella le gustaba leer.

—Yo es que cojo un libro y empiezo a ver palabras que no tengo ni idea de lo que significan y me pierdo y... —musitó sin esperanza Tasio.

—¿Cómo vas entenderlo si no lees nunca? —dijo Ana—. Las palabras se hacen familiares a medida que lees, y entonces ya no se olvidan. Y tampoco cuesta tanto mirar de vez en cuando el diccionario si una palabra es importante para comprender algo esencial.

—Así de fácil —protestó Gaspar.

—Pues sí —insistió Ana—. Y ya sabéis lo que pienso yo: que no leéis por miedo al qué dirán —sus ojos fueron de Gaspar a Tasio—. Yo pienso que hoy en día es lo más progre que hay. La autentica rebeldía. Mi

hermano mayor me dijo ayer que yo era rara porque leía, y se rio de mí, pero el raro es él, que hace lo que la mayoría, como un borrego. Hoy toca fútbol, hoy toca emborracharse, hoy toca tal y mañana cual, sin personalidad propia, sin iniciativa. Leer un libro es el acto más individual que existe hoy en día. ¿No estamos todos en contra de la globalización y nos manifestamos hace unas semanas por ello? Pues leer es el equivalente de esa rebeldía.

Tasio y Gaspar contemplaron a su amiga con admiración.

Era estupenda.

—Bueno —insistió en el tema que les ocupaba Fernando—. Tenemos un problema con la SOS. ¿Qué hacemos?

—Sí, ¿qué hacemos? —le apoyó Sonia.

Ninguno tenía una respuesta para eso, y menos con los hechos tan recientes. Solo confiaban en que al día siguiente las aguas hubieran vuelto a su cauce.

Una esperanza.

O eso, o lo pasarían mal.

Capítulo
LOS **TRES** MOSQUETEROS
Alexandre Dumas

LA señorita Soledad no se encontraba en la sala de profesores. Eso sí era raro. La buscaron por el instituto hasta dar con ella. Seguía leyendo su novela, concentrada, ajena al mundo en general, sentada en una mesa del bar del centro escolar, frente a una taza de café. Una vez localizada, no supieron muy bien si seguir o no.

—¿Y si se enfada más? —susurró Tasio.

—Hemos dicho que hablaríamos con ella, ¿no? —le empujó por detrás Gaspar.

—Y por qué no te pones tú delante, ¿eh?

—A la hora de sacar las castañas del fuego... —se enfadó Ana tomando la delantera.

Los otros cinco, Gaspar, Tasio, Sonia, Fernando y Pedro se apretaron tras su compañera.

—Señorita Soledad...

La profesora de lengua alzó la vista. Vio a Ana, y a su espalda el complejo núcleo formado por los otros cinco.

Sus cinco joyas más relevantes.

—¿Qué quieres? —preguntó en un tono de lo más aséptico.

—La hemos visto tan disgustada que no sé... —vaciló Ana.

—¿Y cómo quieres que esté? —mantuvo el libro en alto, sin ánimo de dejar de leer.

—No venimos a pedirle que nos apruebe ni nada de eso —Ana habló en plural, aunque sabía que no era su caso—. Queremos que esté bien y...

—Eso es imposible —la cortó la maestra.

—¿Ah, sí?

—Me va a dar algo. Es cuestión de horas, puede que de minutos.

No era una mujer afectada, ni dada a los dramatismos. Así que se sintieron impresionados por sus palabras, y más aún por el tono, crepuscular, sombrío. Los ojos eran igual que dos fuegos fríos, la boca formaba un sesgo horizontal muy duro. Su diminuta figura temblaba bajo el peso de una carga al parecer insoportable.

La viva imagen del fracaso.

Sintieron lástima. Todos.

—Tú, Sonia —la profesora señaló a la chica—, ¿quieres ser un día una mujer maltratada?

—No.

—¿Y tú, Tasio, quieres ser un maltratador?

—No.

—¿Y tú, Gaspar, quieres echar una colilla por la ventana del coche y quemar un bosque por inconsciencia? ¿O vosotros, Fernando y Pedro, arrojar una bolsa de plástico a la calle en lugar de a la basura, y provocar que vaya al mar, mate peces, y que en unos meses haya hambre en Etiopía o Somalia?

Los chicos negaron con la cabeza, impresionados.

—Pues todo es lo mismo: cultura —ahora sí dejó el libro en la mesa—. Solo leer os hará libres, fuertes, os dará carácter, ideas propias.

—¿Y si leemos no nos pasarán esas cosas, así de fácil?

—Será mucho más difícil que te pasen, Gaspar, por mucho que te cueste creerlo.

—Vale, pues le prometemos leer este verano —propuso Tasio.

—Ah, no —fue categórica—. Se os pasó el arroz. Ya no hay tiempo. Nada de promesas después de todo un curso de vagancia. Y que conste una cosa: me duele más a mí que a vosotros. Es mi fracaso no haberos hecho entender lo que significa leer o no haber sabido inculcaros el amor por las palabras.

—No se lo tome así —sintió lástima Ana.

—¡Leer es divertido! ¡Jugar con las palabras y las letras es genial! ¡Pues claro que he fracasado! ¡Me habría gustado tanto enseñaros esos juegos!

—Hágalo —dijo Tasio.

—Eso habría sido posible de haber completado el programa escolar, si nos hubiera sobrado tiempo, si hubierais tenido un mínimo de interés o una base sobre la cual asentar todo lo demás. ¡Pero no ha sido así, una pena! Os habría enseñado los palíndromos,

los bifrontes, los anagramas, los pangramas, los tautogramas, los calambures...

—¿Qué son todas esas cosas? —alucinó Gaspar,
que nunca había oído hablar de ellas.

—Sí, ¿que es eso último, lo del calambur? —abrió
los ojos Tasio.

—Una frase formada por las mismas letras y en el
mismo orden, pero agrupada por sílabas distintas, puede significar o decir dos cosas diferentes. Eso es un calambur. ¿Ejemplos? «Diamante falso» y «Di, amante falso»; «Ato dos palos» y «A todos, palos»; «Yo lo coloco y
ella lo quita» y «Yo, loco, loco, y ella, loquita».

—¿Y eso para qué sirve?

—¿Para que sirve un videojuego, Tasio? —respondió llena de cansada inocencia.

—Y el resto, los pangramas, los anagra...

—Lo siento, ya no hay tiempo, ¡no hay tiempo!
—se agitó de nuevo.

—Háganos algunos juegos de esos, solo para demostrarnos que tiene razón —le propuso Ana, que
era la menos sospechosa de todos ellos.

La profesora de lengua se animó un poco, llevada
por su inercia.

—¿Cuál es la palabra más larga que existe?

Vacilaron unos segundos, buscando palabras lar-
guísimas.

—Arroz —los sorprendió la maestra—. Empieza
por la letra A y termina por la letra Z.

—Eso es trampa...

—¿Cuál es la palabra más corta y con más sílabas? —no hizo caso de la protesta de Tasio.

Volvieron a quedarse en blanco.

—Aéreo, cinco letras, cuatro sílabas —dijo la mujer—. ¿Sabéis que hay palabras que tienen los dos sexos, es decir, que son masculinas o femeninas según cómo las expresemos?

No se dieron cuenta, pero ya tenían la boca abierta.

—Díganos una.

—Arte —anunció triunfal—. En singular es masculino. Por ejemplo, decimos «arte moderno». Pero en plural es femenino. Por ejemplo, «artes plásticas» —no les dio descanso—: ¿Y una palabra que tiene todas las letras duplicadas? ¡Aristocráticos! ¿Y cuál es la más larga con todas las letras distintas? ¡Centrifugadlos, catorce letras, la mitad del alfabeto! ¿Y una con los cuatro firuletes de nuestra lengua? ¡Pedigüeñería!

—¿Qué es un firulete?

—¡Pedigüeñería tiene el punto de la primera «i», los dos puntos de la «ü», el sombrero de la «ñ» y la tilde de la «í» final! ¡Eso son firuletes! ¿Y tú, Ana, sabías que tu nombre es palindrómico? ¡Dice lo mismo tanto si se lee de izquierda a derecha como si se lee de derecha a izquierda! ¿No es maravilloso? ¡Y hay tanto, tantísimo!

Le brillaban los ojos.

Casi daba miedo.

—Oiga, todo eso que nos está diciendo me gusta mucho —se animó Sonia.

—Claro, no tiene nada que ver con estudiar a Cervantes o hacer redacciones —dijo Pedro.

—¡Todo tiene que ver!

—Vale, pues háganos más juegos —le pidió Fernando.

—No, se acabó —movió la cabeza de lado a lado, y también las manos—. No hay tiempo —y lo repitió igual que si su cabeza se automatizara—: No hay tiempo, no hay tiempo, no hay tiempo...

Se hizo el silencio.

La profesora de lengua parecía ida.

De pronto, sus ojos se empequeñecieron.

De una forma tan maquiavélica...

Y ellos se quedaron paralizados, como si un gélido viento los acabase de atenazar.

—No hay tiempo, pero sí una forma de... —oyeron musitar a la maestra.

—¿De que aprobemos? —se arriesgó Tasio.

—No —la palabra sonó como un latigazo, pero lo peor fue la mirada acerada de ella—. Hablo de una forma de hacer que yo... me sienta mejor. Al menos antes de ir al manicomio.

—No será para tant...

Gaspar se calló de golpe.

La señorita Soledad se puso en pie. Recogió sus cosas despacio.

Su rostro, ahora, era demoníaco.

—O-o-oiga, ¿q-q-qué le p-p-pasa? —tartamudeó Gaspar.

—Sí, puedo hacer algo más antes de pedir la baja —los miró uno a uno, despacio, más y más diabólica en su expresión—. Algo que me resarza de estos años, que me alivie, que me... compense.

Ya no dijo nada más.

Sonrió.

Más aún: soltó una risita todavía más histriónica y pérfida.

Total.

Luego pasó por su lado y salió del bar del instituto, dejando tras de sí un frío terrible y seis rostros paralizados.

Capítulo
LOS **CUATRO** JINETES
DEL APOCALIPSIS
Vicente Blasco Ibáñez

TASIO se sentía culpable.

No era el único burro de la clase, pero eso le daba lo mismo. La señorita Soledad había puesto el dedo en su llaga más personal: no quería ser como los demás, se sentía especial, diferente. Siempre había sido un individualista. Ana también había hablado de eso horas antes, al decir que la auténtica rebeldía consistía en leer.

¿Y si tenían razón?

Algo le decía que así era, y entonces...

Miró la novela que no había querido leer, por pasota, por mera tozudez, arrinconada en el ángulo más lejano de su mesa de trabajo. La habitación era un caos, la mesa era un caos, pero la novela brillaba con luz propia, destacaba igual que un faro en la noche.

En internet había encontrado lo suficiente para hacer el trabajo que le pedía la maestra. El resto le daba igual. Ni siquiera hizo caso de los comentarios de la propia red acerca de que el libro era muy bueno.

¿Qué más daba eso? Si era algo «de la escuela», era un coñazo. Si era «un deber de clase», era una obligación impuesta. Ya leería cuando fuese mayor.

—Jobar... —suspiró.

No, sabía que eso no era cierto, que sin el hábito...

No hacía falta ser muy listo para saber eso.

Se levantó de mala gana y fue a la mesa. Se sentó en la silla y, desde su nueva posición, volvió a mirar el libro. El título era sugerente. Del autor, ni idea. Alargó la mano y lo abrió. Pasó las páginas a vuelapluma, como si así pudiera leerlo de golpe, en plan robot. Un sinfín de palabras le salpicaron los ojos. Allí dentro, encerrada entre esas páginas, había una historia que alguien inventó en su momento. Una historia que esperaba ser leída, agazapada igual que un sortilegio a la espera de su víctima.

Decían que las novelas te atrapaban, porque estaban vivas.

Lo decían los que leían, por supuesto.

Lamentaba mucho lo de la SOS. No por ser la maestra era su enemiga. De otros, sí lo era, pero de ella no. Siempre había sido legal. Y ahora estaba de psiquiatra. Sufría por ellos.

Alguien se equivocaba.

Tal vez él.

Miró la primera página, las primeras líneas de letras y palabras. No empezaba en plan palicero, con una larga descripción, sino con un diálogo, ágil, vivo. Sin darse cuenta, empezó a leerlo.

Sin darse cuenta, acabó la primera página.

Sin darse cuenta, terminó el capítulo.

Sin darse cuenta, comenzó el segundo.

Sin darse cuenta...

Una hora después, había leído prácticamente un tercio del libro, absorto, envuelto, metido de lleno en la historia, que no era interesante, no: era superinteresante.

A esa misma hora, Gaspar se hallaba igual que su amigo.

Primero, dio varias vueltas por su habitación, en plan lobo enjaulado. Después, le dio una patada a la silla y a punto estuvo de romperla. Cuando su madre entró a ver qué había sido ese ruido, lo encontró sentado en ella y fingiendo estudiar. La mujer suspiró complacida.

—Se esfuerza, y eso ya es bastante —oyó que le decía a su hermana mayor.

—El día que se te caiga la venda de los ojos... —le respondió ella.

Gaspar le sacó la lengua a la puerta, al otro lado de la cual se suponía que se encontraba la listilla de Carmen, tres años mayor que él y más pija...

Finalmente, cogió el libro, se acordó de la SOS, lo abrió y empezó a leer.

Ni siquiera se dio cuenta de la forma en que caía envuelto en su red mágica.

En su casa, Sonia hacía lo que jamás hubiera imaginado: leer mientras permanecía sentada en la taza del inodoro. Y debía de llevar ya en ella por lo menos veinte minutos, porque estaba por la página veinte de la novela.

¿Por qué no la había leído antes?

Era buenísima.

¿Por qué era tan tozuda?

¿La adolescencia, la guerra contra el mundo entero, la frustración y la desesperación de la edad?

Excusas.

No le gustaba leer y punto.

Bueno, no le gustaba leer lo que le mandaban, y encima le mandaban siempre cosas espantosas, antiguas. Pero aquella novela...

El recuerdo de la profesora herida y angustiada también había presidido los pasos en solitario de Pedro y de Fernando. No entendían el motivo de que la maestra estuviera tan afectada. O sí. Lo estaba porque se preocupaba por ellos. Así de fácil. Sufría.

Pedro puso la mano derecha sobre el libro y dijo:

—Juro que te leeré en verano.

Un juramento era un juramento, así que aquello iba a misa. Lo leería en verano.

Fernando, en cambio, lo mismo que Tasio, Gaspar y Sonia, se esforzaba en leer la historia, aunque a cada paso se encontraba con palabras que no entendía y que le desanimaban. Incluso llegó a buscar una en el diccionario. De las más raras: «miríada».

Los escritores escribían para demostrar lo listos que eran.

Y para decirles a los demás que eran unos burros.

Llegó a la página doce antes de cansarse, no porque la novela no le gustase, sino porque las palabras raras se sucedían una tras otra, y eso le hacía sentir mal.

—A fin de cuentas, el daño ya está hecho —se reafirmó en su decisión de no seguir leyendo—. Mañana la SOS estará en el psiquiátrico.

La única que a aquella hora no leía la novela era Ana, en primer lugar, porque ya la había leído en su momento, y, en segundo lugar, porque no podía quitarse de la cabeza a la señorita Soledad.

Aquella expresión...

Aquel brillo en la mirada, y sus enigmáticas palabras...

¿Qué habría querido decir con aquello de que «puedo hacer algo más antes de pedir la baja»? ¿Y con lo de resarcirse, aliviarse y compensarse? ¿De qué manera se resarcía, aliviaba y compensaba una maestra herida en su amor propio, que mostraba su fracaso ante ellos por no haberles sabido inculcar el amor por la literatura?

Ana miró el teléfono.

¿Y si llamaba a la policía?

—Miren, que creo que mi profesora de lengua se va a suicidar.

Qué estupidez.

Intentó hacer algo, leer otro libro, hacer planes para las vacaciones, pero no pudo. Se sentía colapsada. Y estaba segura de que al menos Tasio y Gaspar también debían de estarlo. Eran dos buenos chicos. Legales. Los tres formaban un buen equipo. Sonia era distinta, y tanto Pedro como Fernando más trastos. Pero Tasio y Gaspar...

De haber sabido que los dos leían la novela como locos en aquel mismo instante, se habría sentido muy orgullosa de ellos.

Era como si el fantasma de la profesora de lengua estuviese allí, escondido, espiándolos, o presidiendo sus actos en aquella tarde-noche incierta.

Capítulo
CINCO SEMANAS EN GLOBO
Jules Verne

NO pudieron hablar demasiado durante las dos primeras horas de clase de la mañana.

El ambiente era raro.

—Ayer me leí el libro —proclamó Tasio con orgullo entre clase y clase.

—Yo también —no quiso ser menos Gaspar.

Ana abrió los ojos.

—¿En serio?

—Es muy bueno. Si lo hubiera sabido antes...

—Lo mismo pienso yo. No hay muchos libros tan buenos como ese.

—¡Pero si ella os lo dijo! —se desesperó Ana.

—Ya, pero si les hacemos caso a los profes... —se hizo el duro Tasio.

—Para ellos todo es bueno, o necesario, o obligatorio —apostilló Gaspar.

—No se dice «o obligatorio», sino «u obligatorio» —le rectificó Ana. Y antes de que él protestara y se enfadara agregó—: ¡Y yo también os lo dije! ¿Por qué no me hacéis caso?

No pudieron seguir. La segunda hora transcurrió tan perezosa como la primera. Quedaba el recreo, la última clase y... adiós. Era viernes. Tarde libre y fin de semana a las puertas del verano. Demasiado.

Ana no dejó de mirarles.

Inseparables.

En lo bueno y en lo malo.

Nunca estaba segura de si le gustaba más Tasio, por su temperamento libre, o si por el contrario su preferido era Gaspar, más inocente. Uno era fuerte, el otro, entrañable. Y los dos honestos, sinceros. Los apodos les venían bien: TNT y GOL. Ella a veces se sentía aún más rara que sus compañeros, y no solo por leer. Tenía tantos complejos...

Necesitaba demostrarse demasiadas cosas a sí misma.

Por esa razón se aislaba siempre que podía.

Si encima Tasio y Gaspar leyeran libros y pudieran intercambiarse opiniones, discutir, prestárselos... Sería increíble.

—¿Qué, con cuál te quedas? —le susurró al oído Sonia.

—¡Cállate! —se puso roja.

A la hora del recreo salieron los cuatro juntos al patio y continuaron hablando de la novela. Tenían ganas de decirle a la profesora de lengua que la habían leído, por si eso ayudaba. La última clase era la suya.

—Mejor se lo decimos antes, ¿no? —propuso Gaspar.

Fueron a buscarla, como el día anterior, pero no la

encontraron ni en la sala de profesores ni en el bar. Más aún, en la sala de profesores advirtieron cierto bullicio poco académico, movimientos, agitación. Y cuando metieron la cabeza por el hueco de la puerta no se la cerraron en la cara de puro milagro.

—Ahora no —les advirtieron.

—¿Qué estará pasando? —vaciló Ana.

—Cualquier cosa, ya sabes como son —se encogió de hombros Tasio.

Regresaron al patio y esperaron los escasos cinco minutos que faltaban para el retorno a clase. Cuando sonó el timbre, ya estaban en la puerta, así que llegaron los primeros al aula. El resto se les sumó antes de que la maestra hubiera hecho acto de presencia.

Un minuto después, ella seguía sin dar señales de vida.

Dos minutos después, lo mismo.

A los tres minutos, todos tenían la certeza de que algo sucedía.

—¿Ya la habrán ingresado en el manicomio? —preguntó Pedro en voz alta.

—No van tan rápido —manifestó Fernando.

—¿Y tú como lo sabes, ya has pasado por ello? —le pinchó Sonia.

—Me refiero a que primero te hacen exámenes y cosas así, si no los manicomios estarían llenos.

—¿Queréis callaros? —protestó Ana.

Se encontró con las miradas culpables de Tasio y de Gaspar.

Cinco minutos.

—O nos envían a alguien o nos vamos a casa, ¿no? —cantó feliz Pablo Antonio.

—No seas burro, PAVO.

—Caray, qué suspicaces estáis algunos.

El ambiente se hizo espeso. Matilde, Estanislao, Eulalia, Julio, Esperanza y Elvira se unieron a Tasio, Gaspar y Ana en su preocupación. Los dos chicos eran los que estaban en la puerta, atisbando por la rendija en dirección al pasillo. El instituto estaba de pronto sumido en el silencio, y no solo porque todo el mundo, presumiblemente, estuviese en clase.

—Voy a explorar —anunció Tasio.

—Te meterás en un lío —quiso detenerlo Ana.

—Voy contigo —le apoyó Gaspar.

Salieron al pasillo ignorando el gesto de la chica y se pegaron a la pared, como espías. Luego avanzaron despacio en dirección a la zona reservada a la dirección, la sala de profesores y la biblioteca. Nadie les salió al paso.

Pero, desde luego, algo sucedía, porque la sala de profesores era un hervidero.

Oyeron voces.

—¡No!

—¡Sí!

—Pero...

—La ha palmado, seguro —se puso fúnebre Gaspar.

—No seas burro —le dio un codazo Tasio.

—Si es que no estaba normal.

—¡Cuidado!

Echaron a correr en dirección a su aula al ver que salían el jefe de estudios, el señor Valerio, y la directora, la señora Bienvenida, que también tenía apodo porque sus dos apellidos eran Blanco Balcázar. O sea, BBB. Ellos la llamaban la Tres Bes o la señora Buena, Bonita y Barata.

Se metieron de cabeza por la puerta de la clase, que Ana tenía abierta por si acaso.

—¿Qué pasa? —se alarmaron algunos.

—¡Vienen la Tres Bes y el Valerio!

Ocuparon sus puestos y esperaron, inquietos.

El fin del misterio.

O el comienzo de algo peor si, como esperaban, había sucedido algo malo con la SOS y les echaban la culpa a todos ellos.

Capítulo
SEIS PERSONAJES EN BUSCA DE AUTOR
Luigi Pirandello

LA directora del instituto era una mujer rígida, severa, recia y cuadrada. Y al mismo tiempo era un trozo de pan, de ahí lo de Buena. Mantenía una cierta belleza juvenil, de ahí lo de Bonita. Y vestía con un pésimo gusto, de ahí lo de Barata.

A su lado, el jefe de estudios, el señor Valerio, sin ningún apodo porque las iniciales de sus apellidos no decían nada, más bien parecía un palillo sin punta. Alto, delgado, calvo, con ropa que debió de pertenecer a su padre porque era siempre una o dos tallas más grande que él, sus ojillos vivos semejaban los de una grulla. Sus movimientos, casi eléctricos, también.

Los dos entraron en clase y, mientras todos se ponían en pie, les indicaron que se sentaran haciendo un gesto con las cuatro manos. Como si tocaran el piano, o los tambores.

La que tomó la palabra fue la directora.

Carraspeó, unió las dos manos fuertemente, a modo de rezo, y tras inspirar largamente les anunció:

—La señorita Soledad no ha venido hoy al centro.

Eso ya lo sabían, así que la inquietud aumentó. Forma y tono se confabulaban para conferir al momento un deje de lo más dramático. En cuanto a ellos, parecían formar la mejor clase del mundo entero. Ni se movían. Ni respiraban. Espaldas rectas, piernas unidas, brazos sobre las mesas. Un ejemplo modélico de comportamiento y urbanidad.

Pero es que estaban cagaditos de miedo.

La directora volvió a llenar sus pulmones de aire.

—Veréis... —empezó a derrumbarse—. En realidad, se trata de algo más que eso...

—Lo que vamos a contaros debe ser un secreto, al menos en las próximas horas —intervino el señor Valerio, mucho más sereno y con el ceño fruncido—. Un secreto importante, porque se trata sin duda de algo muy... muy grave.

La directora y su jefe de estudios intercambiaron una mirada fugaz. Suplicante la de ella, resignada la de él.

—¿Qué le ha sucedido a la profesora de lengua? —no pudo más Ana.

—No estamos.... muy seguros de lo que le ha podido suceder —manifestó ella.

—Hay una total reserva —apuntó él.

—¿Pero está bien? —insistió Ana.

Hubo un silencio. La directora y el jefe de estudios parpadearon mientras miraban a la chica.

—No tenemos ni idea —se rindieron al unísono.

Ahora sí, la clase se arremolinó presa del desasosiego. Si no tenían ni idea de cómo estaba, era, sencillamente, porque no estaba. Es decir, que cuanto menos la señorita Soledad había desaparecido.

Tal vez, harta de ellos, se hubiera ido a dar la vuelta al mundo.

O a alguna playa.

—Tenemos una... esto... una carta de vuestra maestra. Por decirlo de alguna forma —les comunicó por fin el señor Valerio.

—Una carta que voy a leeros —anunció en un tono muy precavido la señora Bienvenida.

—Recordad que esto es secreto —insistió el jefe de estudios—. Ni una palabra a nadie. Confiamos en vosotros. Sobre todo porque esto parece que os atañe y... bueno, que...

La directora extrajo un sobre de su bolsillo izquierdo. Luego, las gafas del derecho. Se calzó las segundas y extrajo una hoja de papel perfectamente doblada del interior del sobre. Ya no esperó más y, con voz revestida de gravedad, despacio, como si leyera un testamento, les hizo partícipes de aquella singularidad.

—«Hola. Soy yo, Soledad Olmedo Sánchez, la SOS, la profesora de lengua. Os escribo porque quiero que sepáis algo: me he vuelto loca. Oh, sí. Loca del todo. ¿Una broma? Pues no. Enhorabuena. Lo habéis conseguido. Ya no puedo más. Llevo años luchando con vosotros, y cada vez es peor. Cada curso supera en ignorancia al anterior. Como soléis decir, ¡una pa-

sada! Y he dicho basta. ¡Basta! No leéis nada. Odiáis leer. Luego, no entendéis ni una palabra de lo que os dicen o de lo que estudiáis, hacéis unas faltas de ortografía flagrantes y dais pena. Auténtica pena. No quiero ver más cómo arruináis vuestra vida. Hacedlo, pero sin mí. ¿Qué queréis que os diga? ¡Os quiero! ¡Sí, os quiero! ¿Tanto cuesta creerlo? Os quiero, pero... hay amores que matan. Hoy esto se ha terminado. Mañana iré al manicomio, o a donde sea. Mañana. Os anuncio que hoy... —la señora Bienvenida levantó por primera vez los ojos de la carta y los paseó por la estupefacta audiencia. Su mano tembló. Y también su voz al tragar saliva y proseguir la lectura de la singular epístola—: Os anuncio que hoy, entre las ocho de la tarde y las doce de la noche, asesinaré a uno de vosotros —hizo una pausa dramática para ver el efecto que causaban sus palabras, que fue demoledor—. El elegido o la elegida pagará por todos. Será mi despedida, ¡el gran final! ¡La maestra que se volvió loca y asesinó a uno de sus peores alumnos! ¡Y encima seré una heroína para muchos que desearían hacer lo mismo, aunque espero que no cunda el ejemplo y nadie me vaya a imitar!».

—¡Qué fuerte! —balbuceó Fernando.

—Haz el favor de callarte, que la carta sigue —impidió que se alzara un remolino de voces el señor Valerio.

—«Solo me detendré —la señora directora le puso mucho énfasis a lo que dijo a continuación— si alguien da conmigo antes de las ocho de la tarde. Y no estaré en mi casa, por supuesto. Hablo en serio: mataré a uno de vosotros si no me encontráis y me detenéis antes de esa hora. Es vuestra última oportunidad. Para ello tendréis que resolver las pruebas que os daré. Si lo hacéis bien, prueba a prueba, no tendréis problema para juntar las pistas y dar conmigo. Pero sé que no seréis tan listos. Si lo fuerais, no habríamos llegado a esto. Aun así, quiero ser justa y daros esta última oportunidad. ¡Queridos, queridas, a ver quién es más listo! ¡Ánimo, que el tiempo vuela!».

Fin de la carta.

Más que de locos..., aquello era increíble.

Desde luego, la señorita Soledad había perdido la cabeza.

Capítulo
SIETE NOCHES
Jorge Luis Borges

ERA casi la hora de la salida y seguían en el instituto. En clase.

Arremolinados mientras discutían entre sí.

—No podía pillar una depre como todas, no, tenía que volverse loca —se lamentaba Manuel.

—Loca y asesina —le recordó Pablo Antonio.

—¿La señorita Soledad? ¡Vosotros sí que estáis locos! —negó con vehemencia Eulalia—. ¡No mataría ni a una mosca!

—Porque las moscas no pueden leer, que si no... —advirtió Estanislao.

—Mira que le ha dado fuerte con eso, ¿eh? —proclamó con los ojos abiertos como platos Elvira.

—Yo todavía no he entendido de qué va la cosa —rezongó Fernando.

—Si eres más tonto, no naces. —Sonia le dio un golpe en el cogote—. Por lo menos, sé que si ha de cepillarse a alguien, será a ti.

—No ha dicho que fuera a asesinar al más burro de la clase —le defendió Pedro.

—No, en esa categoría hay varios —asintió Esperanza, la más lista junto con Julio.

Tasio y Gaspar intercambiaron una de sus miradas silenciosas.

—Se cargará a alguien, el que tenga más a mano, así que ahí entramos todos, sin exclusiones —dijo Ana.

—¿Y las pruebas de que habla en la carta? —exclamó Tasio.

—Las tendrán ellos —Gaspar señaló la puerta, y más allá de ella, a los ocupantes de la sala de profesores.

—Pues tendrían que decirnos cómo son.

—¿Crees que van a dejar que hagamos algo?

—Se trata de nosotros, ¿no?

—Han ido a llamar a la policía —aseguró Pedro.

—¿Cómo lo sabes?

—Mi padre es bombero.

—¿Y eso que tiene que ver?

—Bueno, cuando pasa algo, la gente llama a la policía o a los bomberos, y aquí los bomberos no pintan nada, así que habrán llamado a la policía.

Aunque fuese por casualidad, comprendieron que tenía razón.

—¿Y qué haremos, ir a nuestras casas y encerrarnos en ellas hasta que la detengan? —se estremeció Sonia.

—¿Y si no la detienen? Loca o no, tendrá un plan —aseguró Eulalia.

—Como en las pelis de miedo. Estás en tu habitación y, sea como sea, el asesino aparece detrás de la puerta —se estremeció Elvira.

—¿Quieres callarte? —gritó Matilde, abrazándose a sí misma.

—¡Llega alguien! —les avisó Julio desde la puerta.

No se sentaron en sus sitios. Ya no hacía falta disimular. Esperaron de pie, en torno a la mesa del aula, frente a la puerta, que no tardó en abrirse. Por ella aparecieron de nuevo la señora directora y el jefe de estudios. Los acompañaba un hombre vestido de negro, cejijunto, cetrino, con aspecto de sabérselas todas. Su mirada parecía estar apagada, hundida más allá del túnel de sus ojos. El bigote recto le confería un aire de conspirador.

Desde luego, no era un bombero.

—Mi nombre es Manuel —proclamó con voz grave—. Manuel Atienza León.

—MAL —no quiso privarse de buscarle su correspondiente mote un gracioso.

—¿Qué?

—Perdone, siga —disimuló el gracioso.

—Soy el inspector Atienza, ¿de acuerdo? —les miró igual que si mirase a diez bolos perfectamente alineados al fondo de la pista y él tuviese la bola con la que esperaba derribarlos al primer *strike*—. Voy a encargarme del caso de esa pobre mujer.

La «pobre mujer» que había jurado matar a uno de ellos...

No dijeron nada.

Un policía de verdad, allí. Y parecía la mar de duro.

—¿Alguien tiene algo que decir? —preguntó el representante de la ley.

—¿Esto va en serio? —quiso estar seguro Julio.

El inspector ya no le miró como si fuese un bolo. Ahora, era como si fuese una colilla mal apagada y él un zapato.

—Nunca os toméis a broma a un asesino, y menos si está loco —afirmó contundente.

—Pero la señorita Soledad...

—Las que no tienen pinta de asesina son las peores —detuvo a Ana—. Una vida inocente, comedida, conteniendo las emociones, y cuando se sueltan... ¡zas! —los asustó—. Ya nada les detiene.

Se pusieron pálidos.

—Escuchadme — retomó su aire cáustico el policía, flanqueado por la directora y el jefe de estudios, ahora muy callados—. Este no es el primer caso que se da, incluso aquí, en España. Para ser concreto, ni siquiera es el segundo o el tercero —esperó a que sus palabras calaran en ellos antes de seguir—. Naturalmente, esas cosas no salen nunca en los periódicos, para no causar alarma social. Hay un código ético. El último caso tuvo lugar hace dos años. No todos los maestros piden la baja por enfermedad ante vuestros desmanes —volvieron a ser bolos dispuestos a que los derribara—. Yo no sé ni cómo algunas y algunos aguantan tanto. Vamos, que si yo fuera profesor... —sacó sus dientes a tomar el sol.

Los tenía negros.

—¿He preguntado si alguien tiene algo que decir?

Ninguno abrió la boca.

—Pensadlo. Cualquier información que tengáis puede salvarle la vida a un compañero, o incluso a uno mismo.

—¿Qué quiere que sepamos? —intervino Tasio.

—¿Conocéis algún secreto de vuestra profesora, lugares a los que vaya, si le gusta el cine o el teatro, un bar predilecto?

No hubo respuesta.

—En tal caso... —el inspector hizo entrechocar las manos, dando por terminada la breve charla—. Recordad lo esencial: mantened la boca cerrada por ahora, incluso en vuestra casa. Y si descubrís alguna cosa, avisadles a ellos —señaló a la señora Bienvenida y al señor Valerio—. Hemos de actuar en equipo. Eso es lo básico. Lo que está en juego es vuestra vida.

Sonrió, como dando a entender que eso era lo menos importante del caso.

—Oiga —habló Esperanza—. ¿Nos protegerán, verdad?

—¿A todos? —abrió los brazos con pesar—. No dispongo de tanta gente, niña. Eso es imposible. De todas formas, hasta las ocho hay tiempo. A esta hora, si no hemos dado con ella, encerraos en casa. Es cuanto puedo deciros.

—Perdone, señor —Gaspar tomó la palabra—. ¿Y las pruebas?

—¿Pruebas, qué pruebas? —masculló el inspector Atienza.

—La carta dice que nos dejará unas pruebas, y que si las resolvemos y combinamos, ellas nos llevarán hasta su escondite. Nos gustaría saber qué pruebas son esas —dijo Tasio secundando a su amigo.

—La carta venía sola —justificó el policía—. En el sobre no había nada más. Si hay unas pruebas, no nos las ha dado todavía.

—Pero eso es absurdo —calculó Ana.

—Es lo que hay. ¿Y quién dice que la mente de una asesina loca tenga lógica?

—Si la señorita Soledad dice que hay unas pruebas, es que hay unas pruebas —insistió Ana.

—¿Crees que si las tuviera no os las daría?

Era un misterio. La cara de la directora y del jefe de estudios reflejaban la misma incredulidad. Un misterio y una seria amenaza. Faltaba un último engranaje en el esperpéntico puzle, pero ninguno sabía cómo llegar a él.

Y no quedaba nada más salvo esperar.

Dejar que la policía cumpliera su trabajo.

O sea, que el inspector Manuel Atienza León, MAL, detuviera a la señorita Soledad.

Algo que, de pronto, se les antojó bastante utópico.

—Largaos de aquí —les dijo el agente de la ley con evidente superioridad.

Ni se inmutó cuando todos le lanzaron sus peores y más aviesas miradas.

Capítulo
EL **OCHO**
Katherine Neville

LOS cinco principales candidatos a ser eliminados por la ex maestra reconvertida en loca asesina se reunieron a la salida del centro escolar bastante pálidos. Tasio, Gaspar, Sonia, Pedro y Fernando mostraban su consternación creciente y su inquietud por el inesperado giro de los acontecimientos. Ana también estaba allí, con ellos, siempre solidaria, al lado de Tasio y Gaspar.

—Va a por uno de nosotros, seguro —dijo Tasio, por si quedaba alguna duda al respecto.

—Si estamos juntos, no podrá contra todos —aseguró Gaspar.

—La policía nos ha dicho que no contemos nada de esto, así que veo muy difícil que nuestros padres nos dejen pasar la noche juntos en casa de alguno. Se pensarán que es una excusa para irnos de juerga siendo viernes —puso el dedo en la llaga Gaspar.

—Entonces, ¿qué hacemos? —suspiró Sonia.

—¿Qué vamos a hacer? ¡Encerrarnos en casa! —fue categórico Fernando.

—¡Tenemos una oportunidad! —se enfadó Ana—. Hasta las ocho no hará nada. ¡Podemos intentar encontrarla!

—¿Cómo? ¿Dónde están esas famosas pistas y pruebas? —replicó Pedro, mostrando su estado más depresivo.

Los dos listos de la clase se les acercaron. Julio Serradell era el genio informático. Dominaba la red y sus entresijos y se movía por ella como si nada. Todos le pedían ayuda, y él siempre se portaba como un buen compañero, así que le apreciaban. Esperanza Ferrer prefería los libros. En su casa los había a miles, de todos los tipos y géneros. Disponía de las más fabulosas enciclopedias y diccionarios para encontrar lo que hiciera falta. Aunque la cosa no iba directamente con ellos, porque se sentían a salvo de la amenaza de la profesora de lengua, su semblante estaba tan serio como el de los demás.

—Vaya jugarreta —profirió el chico.

—Sí, seguro que os toca a uno de vosotros —asintió la chica.

—Vale, gracias por recordárnoslo —suspiró Gaspar.

—Si es que a veces no os entiendo —mostró su dolor Esperanza—. ¿Qué os cuesta leer un libro?

—Oye, que para madre ya está la mía —se enfadó Tasio.

—Eh, eh, no es cuestión de pelearnos entre nosotros, sino de estar unidos —trató de contemporizar Ana.

Hubo un silencio comprometedor lleno de miradas cruzadas.

—Yo he de irme —dijo al final Julio—. Pero estaré en casa, por si me necesitáis. Una llamada telefónica y listos.

—Yo lo mismo —se ofreció Esperanza—. Contad conmigo para lo que sea, ¿de acuerdo?

—Gracias —se sintió conmovido Tasio, hablando en nombre de todos.

Los vieron alejarse y volvieron a quedarse solos, ellos cinco más Ana. El ambiente se hizo depresivo al comprobar que ya no quedaba nadie más cerca.

—Sonia, Pedro y tú podéis estar tranquilos —reflexionó de pronto Gaspar mirando a Fernando—. Nos toca a Tasio o a mí, seguro.

Acababa de expresar en voz alta un pensamiento bastante común.

—No, irá a por el que tenga más fácil —quiso quitarle hierro al asunto Pedro.

—Somos sus favoritos —se atrevió a sonreír Tasio.

—No os pongáis en lo peor, va —les pidió Ana.

—Hemos de hacer algo —Tasio apretó los puños.

—Esas malditas pruebas... ¿Por qué habla de ellas si no están en ninguna parte? —se enfadó Gaspar.

El instituto, ya cerrado, quedaba a sus espaldas. Por delante, el camino de regreso a casa, a la incertidumbre. La ciudad, de pronto, no era un espacio amable y agradable, a pesar de ser un viernes primaveral. Ahora se convertía en una especie de trampa llena de peligros y por la que tenían que aventurarse.

Sonia se estremeció.

—Yo he de ir a casa —se excusó la primera.

—Y yo —dijo Pedro.

—Y yo —se les sumó Fernando.

—Mis padres no llegan hasta las nueve de la noche. —Tasio quiso dejar claro que estaba dispuesto a luchar.

—Igual que los míos —se le sumó Gaspar.

—Yo estoy con vosotros —se le sumó Ana—. Llamaré a casa diciendo que me quedo a comer con alguien.

Los tres que se iban no dijeron nada. Cruzaron las últimas miradas y se despidieron. El ambiente era de funeral, como si estuvieran seguros de que el lunes, de regreso al instituto, uno de ellos ya no estaría allí.

—Bueno, pues vale.

—Suerte.

—Chao.

—Llamadnos si sabéis algo, ¿eh?

Ana, Tasio y Gaspar los vieron alejarse en silencio. No hablaron hasta que los tres ausentes hubieron desaparecido. Todos vivían relativamente cerca de sus casas, así que en unos minutos estarían a salvo.

—¿Qué hacemos? —preguntó Ana.

—Deberías irte —le aconsejó Tasio—. Esto no va contigo. Tú eres una de las listas de la clase.

—No digas eso, ¿vale? —el tono de la chica mostraba todo su dolor—. Yo me quedo con vosotros. Puedo seros de ayuda.

—Si supiéramos algo de esas dichosas pruebas, sí, pero sin ellas... —refunfuñó Gaspar.

Y entonces sonó el móvil de Tasio.

Estaban tan tensos que los tres pegaron un respingo, asustados. El chico estuvo a punto de no hacerle caso. Miró la pantallita, comprobó que se trataba de un mensaje y descubrió que el número de la persona que acababa de mandárselo se hallaba oculto, así que no tenía ni idea de quién sería.

—Un mensaje —dijo.

Al leerlo, se le paralizó el corazón.

—¡Es ella! —gritó.

Los otros dos se le abalanzaron. Apretadas las tres cabezas, leyeron el mensaje, muy escueto. Decía:

«La primera pista está en el periódico de hoy. Es el jeroglífico de la página 37. Suerte».

La mano le temblaba.

—¿Lo veis? —gimió Tasio—. ¡Va a por mí! ¡Soy el candidato!

El móvil de Gaspar sonó en ese mismo instante.

Ahora los tres dirigieron sus miradas a su bolsillo, como si dentro hubiera una bomba.

—¡Cógelo! —le instó Ana al ver que el chico permanecía paralizado. Lo extrajo del bolsillo.

—Otro... mensaje —tartamudeó—. Y quien llama... también tiene... el número... restringido.

Ya no hacía falta comprobarlo, pero lo hicieron. El mensaje decía exactamente lo mismo que el de Tasio.

«La primera pista está en el periódico de hoy. Es el jeroglífico de la página 37. Suerte».

—Bueno, por lo menos ya sabemos qué hacer —apretó los puños Ana infundiéndoles ánimo—. ¡Vamos a por el periódico!

Capítulo
TREINTA Y **NUEVE** ESCALONES
John Buchan

EL jeroglífico de la página 37 parecía un galimatías. Nunca habían resuelto uno. Les parecía algo de otra época. Se lo quedaron mirando con los ojos muy abiertos.

¿DÓNDE ESTÁ LA PRIMERA PISTA?

—¿Cómo se las habrá ingeniado para meter esto en el periódico? —frunció el ceño Tasio.

—Decía que le gustaban los juegos de palabras —apuntó Ana—. A lo mejor se dedicaba a esas cosas en sus ratos libres.

—Tanto da. La pregunta del jeroglífico es clara: «¿Dónde está la primera pista?». Si lo resolvemos, sabremos qué hacer —siguió mirándolo fijamente Gaspar.

Un minuto después, los ojos ya les centelleaban.

—Esto es un lío —empezó a rendirse Tasio.

—No, espera. —Ana le sujetó del brazo—. Hay que ir por partes. Cada figura nos dará una palabra, o parte de ella. Por eso se llama jeroglífico. Olvídate del todo y concéntrate en los detalles. Lo primero que tenemos es una mano.

—Mano, guion, no —dijo Gaspar.

—No, yo más bien pienso que es «Mano menos no», o sea «Ma».

—¿Ah, sí? —frunció el ceño Tasio.

—Después, tenemos esa frase de diez palabras y abajo, entre paréntesis, referido a ella, la expresión «Todas tienen una» —siguió Ana.

—¿Y qué es lo que tienen todas? No se parecen en nada —siguió con su negatividad Tasio.

Gaspar las leyó en voz alta:

—«Damián soñó después cómo múltiples murciélagos descendían todavía más rápido».

—Puede que hable de una letra —opinó Ana.

—No, porque en la primera hay dos aes y una i, en

la segunda dos oes, en la tercera dos es y una u... —se fijó Gaspar.

—Todas tienen acento, es decir... una tilde —dijo de pronto Tasio.

«Todas tienen una».

¡Encajaba!

—Entonces tendríamos «Ma» y «Tilde», dos palabras —comprendió Ana que tenía razón.

—¡Matilde!

Abrieron los ojos, llenos del mejor de los ánimos, y sin decir más, se abalanzaron de nuevo sobre el jeroglífico.

—«Nota musical» —leyó Gaspar.

—Las notas musicales son Do, Re, Mi, Fa, Sol, La, Si... —recordó Ana.

—¿Y cuál de ellas es la que buscamos? —enfrió su ánimo Tasio.

—Veamos la parte final —sugirió la chica.

Miraron atentamente las dos figuras inferiores.

—Esto es la Tierra —señaló Gaspar.

—Y siguiendo el patrón de la «Mano menos no», es «Tierra menos rra», o sea... ¡«Tie»! —se agitó Tasio.

—Por último, tenemos los cuatro puntos geográficos, norte, sur, este y oeste, y una aguja que señala al noreste, cuyas siglas son... ¡NE! —balbuceó al borde del éxtasis Ana—. ¡«Tie» y «ne» forman «Tiene»! Por lo tanto... ¡La nota musical es un artículo: «La»!

—¡Matilde la tiene! —gritaron al unísono Tasio y Gaspar.

—«¿Donde está la primera pista?» —repitió Ana—. ¡Matilde la tiene!

Habían resuelto el jeroglífico.

Pero no había tiempo para celebrarlo. Solo era el primer paso. Y el tiempo empezaba a volar. Las ocho de la tarde parecía una frontera demasiado cercana.

—¡Matilde ya estará en su casa! ¡Vamos! —echó a correr Ana.

Mantuvieron un ritmo feroz, aunque Ana no era lo que se dice una atleta. No por ello dejaron de hablar, intercambiando opiniones.

—¿Estará Matilde conchabada con la SOS? —sugirió Gaspar.

—Pronto lo sabremos. Es una de sus favoritas, pero tanto...

Tasio llamó por el móvil a los demás. La primera, Sonia.

—¡Hemos recibido un SMS!

—¡Yo también! ¡Y Fernando y Pedro! ¡Están aquí conmigo!

—¡Nosotros hemos resuelto el jeroglífico! ¡La primera pista la tiene Matilde!

—¿En serio?

—Vamos ahora a su casa. Podemos reunirnos en ella si os parece.

Al otro lado de la línea se escuchó un murmullo.

—¿Sonia? —jadeó Tasio a causa del esfuerzo de correr y hablar por teléfono.

—Nosotros pasamos —recuperó la voz de su compañera de clase.

—¿Cómo que pasáis? —El chico no pudo dar crédito a lo que oía.

—Llamaremos a la directora para que se lo diga al policía, el inspector Atienza. Pero nada más. Eso es cosa suya.

—¡No, es cosa nuestra! —gritó Tasio.

—¿Y seguirle el juego a la SOS? Si está como una cabra, ¿qué culpa tenemos nosotros? No vamos a arriesgarnos por un estúpido juego que se ha inventado para probarnos.

Tasio miró a Gaspar y a Ana, consternado.

—No van a ayudarnos. Estamos solos —les comunicó.

—Pasa —le dijo Gaspar.

—Está bien —Tasio volvió a hablar por el móvil—: ¡Nosotros os sacaremos las castañas del fuego, cobardes!

—¿Estás loco? ¡Conseguirás que os mate! ¡A saber lo que se le habrá ocurrido estando loca!

—Nosotros la hemos vuelto loca —aceptó con sinceridad Tasio—. ¡Adiós!

Cortó la comunicación y durante unos segundos no hablaron. Estaban ya cerca de la casa de Matilde. Cuando por fin llegaron, se cruzaron con un mensajero que salía de ella. Subieron en ascensor hasta el último piso. Ana aprovechó para telefonear a su casa.

—¿Sí? —escuchó la voz de su madre.

—Mamá —se mordió el labio inferior para ser lo más convincente posible—, ¿te importa que no vaya a comer? Me gustaría quedarme con Tasio y Gaspar para repasar unas cosas. Llegaré a eso de las ocho u ocho y media.

—Bueno, pero lleva el móvil encendido, ¿vale?

—Sí, claro.

—Y no vengas más tarde de las ocho y media, que hoy es viernes y tu padre querrá cenar pronto para ir luego al cine.

—Vale.

Se alegró de no haber tenido que discutirlo. A veces, su madre era como una seda y a veces... todo lo contrario. Claro que ella tampoco daba muchos problemas, ni solía mentir demasiado. Nunca la habían pillado en algo grave. Tenía sus ventajas eso de estar limpia como una patena.

—Ningún problema —les dijo a sus compañeros—. Y vamos a conseguirlo y a demostrarle que no somos tontos.

—Pero si tú eres de las mejores de la clase —mencionó Gaspar.

—Lo que le pasa a uno, nos pasa a todos —dijo Ana.

Logró emocionarlos. Pero ya no hubo tiempo de más.

El ascensor se detuvo en el rellano y salieron. La campanilla de la puerta repicó por el interior de la casa unos segundos. Al otro lado oyeron unos pasos. Fue la

propia Matilde la que abrió la puerta tras comprobar quién llamaba a través de la mirilla.

—¿Qué hacéis aquí? —les preguntó.

—¿Dónde está? —casi la asaltó Tasio.

—¿Dónde está, qué? —vaciló la chica.

—Hemos recibido un SMS de la SOS. Dice que tú la tienes —también la asaltó Gaspar.

—¿Que yo tengo qué? —retrocedió Matilde.

—¡La primera pista para impedir que mate a uno de nosotros antes de las ocho! —gritó Tasio.

—¿Yo? —la cara de la dueña del piso parecía de lo más sincero.

—¡Vamos, Matilde, que el tiempo apremia! —intervino Ana.

—¡Yo no tengo...! —se detuvo y demudó su expresión—. ¡Esperad, esperad! He recibido un sobre por mensajero hace un minuto y...

—¿Y qué?

—Nada, todavía no lo he abierto, no me ha dado tiempo porque antes he ido al lavabo. Iba a hacerlo ahora.

—Danos ese sobre, rápido —fue lo único que acertó a decir Ana.

Ahora sí, la suerte estaba echada.

Y ellos en el ojo del huracán.

Capítulo
DIEZ NEGRITOS
Agatha Christie

NO lo leyeron arriba, en el piso de Matilde, porque sus padres iban a llegar del trabajo de un momento a otro. Volvieron a la calle y, una vez en ella, sí abrieron el sobre. En el interior, había una carta redactada con la preciosa y cuidada caligrafía de la profesora de lengua.

—Vamos, lee —apremiaron a Ana, que era la que sostenía la carta.

—«Hola, seas quien seas, aunque espero que estés acompañado porque eso dirá mucho de vuestro compañerismo —comenzó la chica—. Estáis en camino. Que tengáis suerte. De lo contrario... Yo no quiero asesinar a nadie, pero vosotros me habéis obligado. Si demostráis que no sois unos burros y unos ceporros de la lengua, seré la primera en alegrarme. Si no..., por lo menos limpiaré un poco este mundo al que ya le sobran demasiados ignorantes que, pudiendo no serlo, han preferido la opción fácil».

—¡Qué rollo! —comentó Gaspar.

—¿Quieres callarte? —le recriminó Tasio.

—«Desde ahora hasta las ocho de la tarde, solo tenéis que resolver las pruebas lingüísticas que os proponga, y seguir las pistas que os llevarán hasta el siguiente sobre. En total, van a ser ocho pruebas. Con cada una tendréis una letra. Combinándolas al final, obtendréis una palabra, o lo que es lo mismo, el lugar en el que estaré hasta las ocho. A esa hora, en punto, me iré, y entonces seré muy, muy peligrosa. Y no es broma. Estoy HARTA. Insisto en que solo si me demostráis algo válido, cambiaré de idea —Ana hizo una pausa y continuó—: Un consejo: no tratéis de seguir únicamente las pistas, sin resolver las pruebas para encontrar las ocho letras. No os servirá de nada. Tenéis que ir paso a paso, pista a pista y prueba a prueba. No soy tonta. Puedo haber sembrado de minas todo el camino y confundiros o haceros tropezar. Voy a jugar limpio y vosotros tenéis que hacer lo mismo. También es posible que... os esté vigilando, aunque a mí no me veáis un pelo. ¿Dispuestos, pues? Pensad con lógica. Y recordad que esto es lengua y literatura, todas las pruebas son acerca de ello. Leed bien cada pregunta e interpretad cada pista. Ahora... adelante. He aquí el primer ejercicio para dar con la primera letra y la primera pista para dar con el siguiente sobre».

—¿Dónde está? —se alarmó Gaspar.

Ana le dio la vuelta a la hoja de papel. Pista y prueba se encontraban allí. Se aclaró la garganta, seca después de leer la carta, y continuó:

PRUEBA N.º 1

Anteayer busqué demente el favor, generoso, hallado insistente, justos kilómetros lanzados mientras navegaba ñoñísimo ondeando palabras que resaltaban sentidos, tamizados unos, vigorosos, whisky xenófobo, yugo zozobrante.

PREGUNTA: ¿Cuál es la primera letra que falta en este abecegrama?

PISTA PARA EL SIGUIENTE SOBRE

Érase un hombre a una nariz pegado,
érase una nariz superlativa,
érase una alquitara medio viva,
érase un peje espada mal barbado;

era un reloj de sol mal encarado,
érase un elefante boca arriba,
érase una nariz sayón y escriba,
un Ovidio Nasón mal narigado.

Érase el espolón de una galera,
érase una pirámide de Egipto,
las doce tribus de narices era;

érase un naricísimo infinito,
frisón archinariz, caratulera,
sabañón garrafal, morado y frito.

He aquí un bello poema de Quevedo, hecho
para burlarse cruelmente de la nariz del pobre
Góngora. La dirección para encontrar el siguiente sobre está escondida entre sus líneas, bajo el
elefante en la última de la 10 y el 12 de la 11.

—No vamos a conseguirlo —refunfuñó Gaspar.

—¿Aún no hemos empezado y ya te rindes? —se lo recriminó Ana.

—¿Tú entiendes algo de todo esto? —apoyó Tasio a su amigo.

—Vamos a verlo con calma, ¿no? Así hemos resuelto el jeroglífico. Si nos dejamos llevar por el pánico, no conseguiremos nada.

Se concentraron en la prueba.

—Es la frase más estúpida que jamás he leído —reconoció Gaspar.

—No tiene el menor significado —adujo Tasio.

—Yo creo que la clave está en eso —Ana señaló la palabra «abecegrama», que formaba parte de la pregunta.

—¿Qué es un abecegrama?

—No lo sé, pero ella nos habló de esas cosas ayer, ¿recordáis?

Tasio sacó el móvil.

—Voy a llamar a Julio.

Mientras Ana y Gaspar seguían mirando la frase, Tasio esperó unos segundos. Al otro lado de la línea escuchó por fin la voz de su compañero de clase.

—Julio —casi le impidió respirar—, estamos en el juego. La SOS nos ha puesto una serie de pruebas y pistas para dar con ella antes de las ocho, así que al loro: ¿sabes lo que es un abecegrama?

—No, pero te lo digo en seguida.

Lo imaginó navegando ya por internet.

—Cada palabra empieza... —comenzó a decir Ana.

—... por una letra distinta del abecedario —concluyó su comentario Gaspar.

—«Un abecegrama es una figura en la que cada palabra de una frase empieza por una letra del abecedario y por orden» —dijo Julio en el mismo momento por teléfono.

—Gracias —se despidió Tasio—. Sigue ahí, por si acaso —y dirigiéndose a sus dos amigos les repitió lo dicho por el cerebro de la informática.

—Fíjate —Ana indicó la primera letra de cada palabra—: A de anteayer, B de busqué, D de demente...

—¡Falta la C! —casi gritó Gaspar.

—¡Todas empiezan por una letra, y por orden, de la A a la Z, pero no hay ninguna que empiece por C, así que..., ya tenemos la primera letra de la palabra final, la C! —Ana no podía creerlo.

Se quedaron extasiados ante su éxito.

—¿Qué hora es? —preguntó Tasio, que nunca llevaba reloj.

—No pienses ahora en eso. ¡Tenemos una letra!

—¡Hay que dar con la dirección del siguiente sobre!

Se concentraron en el poema de Quevedo.

—Dice «bajo el elefante en la última de la 10 y el 12 de la 11».

—¿Otro acertijo?

—Si hemos de encontrar una dirección es lógico buscar una calle y un número, ¿no?

Ana y Gaspar miraron a Tasio.

—¡Eso es! —dijo ella.

—¡La última palabra de la línea 10 es Egipto, y esa es una calle que está aquí cerca! —saltó Gaspar.

—¡Con lo cual el 12 de la 11 se refiere al número doce que aparece en la línea 11! —lo redondeó Ana.

—¡Calle Egipto número 12! —se puso en marcha Tasio.

—¿Y el elefante? —vaciló Gaspar deteniendo a su amigo.

—El elefante sale en la línea 6.

—¿Y qué hay bajo él?

—Sigue el poema... no sé... Eso de «nariz sayón»...

—¡Es una trampa! ¡El elefante está allí, seguro! ¡Lo importante es la dirección! —Ana fue la segunda en ponerse en marcha.

La calle Egipto estaba a unos cinco minutos, pero a la carrera tardaron apenas tres. Su desengaño llegó cuando se encontraron ante un solar vacío.

—¡Ay, ay, ay! —exclamó Gaspar pensando que lo habían resuelto mal.

Era absurdo imaginar que por allí hubiese un elefante.

—¡Mirad! —señaló Tasio cortándoles casi la respiración a causa del sobresalto.

En la pared más alejada de lo que antes habían sido los muros derruidos de una casa, alguien había dibujado un elefante con tiza.

—¡Bajo los cascotes!

Y se precipitaron de cabeza hacia el encuentro del siguiente sobre.

Capítulo
ONCE MINUTOS
Paulo Coelho

NO tuvieron que retirar muchas piedras. El sobre, del mismo tamaño y aspecto que el primero recogido en casa de Matilde, apareció a las primeras de cambio. De nuevo le dejaron la parte principal a Ana, que extrajo del interior la nueva hoja de papel escrita por la profesora de lengua.

Tasio y Gaspar contuvieron la respiración mientras ella leía:

PRUEBA N.º 2

Resolved este pequeño crucigrama (muy, muy sencillo). La segunda letra es la que más sale en sus 25 casillas.

	1	2	3	4	5
1					
2					
3					
4					
5					

HORIZONTALES:

1. Pollo que se castra cuando es pequeño y que se ceba para comerlo.

2. Rey de los hunos.

3. *(Al revés)* Baldosas.

4. Moldee una masa de pan.

5. *(Al revés)* Detengas.

VERTICALES:

1. Edificios.

2. Lígame con cuerdas.

3. Acción de poner el pie.

4. *(Al revés)* Arraso una tierra.

5. *(Al revés)* Mondan.

PISTA PARA EL SIGUIENTE SOBRE

A su mal no calla con la musa
A ti no, bonita
Aire solo sería
Ajos, yodo y soja
Amad a la dama
Amigo, no girna
Amo la pacífica paloma
Anula la luz azul a la luna
Arde ya la yedra
Azar todo traza
Dábale arroz a la zorra el abad
De cera pareced
El bulo voluble
Ese bello sol le bese
La col local
No maree, Ramón
Nota épica: nací peatón
O dolor o lodo
Onán es enano
Saetas ateas
Sé brutal o no la turbes
Se es o no se es
Se van sus naves
Sé verle del revés
Sometamos o matemos
Somos o no somos

Id a la quiosquera de la esquina de la calle
del instituto. Si le decís correctamente la palabra que representan estas frases, os dará el sobre
número 3. No intentéis sobornarla porque es
amiga mía y me lo dirá.

—¿Qué significan todas esas frases? —alucinó Gaspar.

—Vamos por orden —le frenó Ana—. Primero la
prueba.

—A mí me encantan los crucigramas, aunque rara-
mente termino uno —reconoció Tasio.

—Uno horizontal... ni idea —admitió Ana. Y al ver
que ellos tampoco decían nada, siguió—: Dos horizontal, «Rey de los hunos»... ATILA —lo escribió en el
crucigrama—. Tres horizontal... al revés, «Baldosas»...
Cuatro horizontal... «Moldee una masa de pan»...

—¿Dar un paso? ¿Caminar? —musitó Gaspar—.
Cinco letras...

—Cinco horizontal —no se detuvo Ana—. «Detengas»...

—PARES —dijo Tasio—. Pero al revés.

—Vamos con las verticales —fue rápida Ana—. La
primera es CASAS.

Lo escribió y leyó la segunda.

—Dos vertical, «Lígame con cuerdas»...

—¡ÁTAME! —colaboró Gaspar.

—Muy bien, chaval. —Tasio le revolvió el pelo.

—Está chupado —se hizo el chulo.

—Tres vertical, «Acción de poner el pie», con una I de segunda y una R de última...

—El cuatro vertical es ASOLO al revés —señaló Tasio.

—¡Ya casi está! —se emocionó Gaspar.

—Cinco vertical, «Mondan»...

Examinaron el resultado. Después de la primera lectura, el crucigrama estaba ya así:

	1	2	3	4	5
1	C	A		O	
2	A	T	I	L	A
3	S	A		O	
4	A	M		S	
5	S	E	R	A	P

—El resto es fácil —Tasio se dispuso a completar las casillas que faltaban—. El uno horizontal no lo sé, pero el tres es LOSAS al revés y el cuatro AMASE. En el vertical el tres es PISAR y el cinco PELAN al revés.

—Así que el uno horizontal es CAPÓN —sentenció Gaspar.

El crucigrama estaba resuelto.

	1	2	3	4	5
1	C	A	P	O	N
2	A	T	I	L	A
3	S	A	S	O	L
4	A	M	A	S	E
5	S	E	R	A	P

—Y la letra que más aparece es la... ¡A! —suspiró feliz Ana—. ¡Siete veces!

—No puedo creerlo, tenemos dos letras, la C y la A —puso cara de estupefacción Gaspar.

—Ella ya lo dice: no somos tontos, solo vagos —esbozó una sonrisa Tasio.

—Ahora lo de las frases —les apremió Ana para que dejaran de mostrarse autocomplacidos.

—Eso sí parece complicado —admitieron ellos.

Leyeron las frases, despacio. Ninguna mostraba el menor sentido, al menos en relación con las demás. Así pues, se trataba de algo diferente. Tal vez otra dichosa figura gramatical de la que no tenían la menor idea.

Una trampa.

—Vamos yendo hacia el quiosco de la escuela, y de camino... —propuso Ana.

Fueron hacia allí, a más que buen paso, casi de nuevo a la carrera, pero por más que se esforzaron, al llegar a su destino estaban como al comienzo: en blanco.

Se detuvieron frente a la mujer, que les miró con una sonrisa.

Les esperaba.

—Hola —los saludó con ironía.

—Hola —vacilaron.

La mujer esperó. Era una señora robusta, de cara redonda y ojos vivos. Se notaba que disfrutaba enormemente con el tema.

—Oiga, si nos da el sobre le juro que...

Ella negó con la cabeza y Tasio le dio un codazo a su amigo para que no volviera a meter la pata.

—Es que no sabemos... —puso cara de pena Ana.

—Eso a mí me da igual —se encogió de hombros.

—¿Y si vamos a la policía? —propuso Gaspar en voz baja—. La obligarían a darnos el sobre.

—Y se acabaría el reto —le cuchicheó en el mismo tono Tasio—. Ya tenemos dos letras, hombre.

—¿Qué estáis rumoreando? —alzó una conspicua ceja la quiosquera.

—Oiga, estamos en peligro —le recordó Ana.

—Y yo lo estaré si no hago lo que me dijo ella.

—¿Ha secuestrado a su hijo o algo así, para obligarla a obedecer? —preguntó Gaspar.

La mujer soltó una carcajada.

—¡Tú ves muchas películas baratas, hijo! —se burló—. ¿Por qué no miráis ese papel antes de rendiros o darme la vara?

Se apartaron del quiosco y examinaron de nuevo las frases detenidamente.

Un minuto.

Dos.

Cinco.

Empezaron a desesperarse.

—Oye, ¿esto no dice lo mismo de este lado...? —se envaró de pronto Ana.

Tasio fue el primero en reaccionar.

—¡Todas dicen lo mismo leídas por un lado y por el otro!

A Ana se le disparó el corazón.

—¡Ella dijo que mi nombre era... era...! —no podía recordar la palabra—. ¡Algo que se leía igual por los dos lados!

—Voy a llamar a Julio —Tasio extrajo su móvil y marcó el número.

—¿Por dónde vais? —escuchó la voz de su compañero de clase.

—Tercer sobre, ya tenemos dos letras de la prueba final —le dijo a toda velocidad—. ¿Cómo se llaman las frases que se leen igual desde un lado y desde el otro?

—Un momento, que lo sé pero quiero confirmarlo.

—¡Fantasma! —se burló Tasio.

—¿A que te cuelgo?

—Vale, vale.

La espera no fue larga.

—Si se lee por los dos lados pero el significado es distinto, se llama bifronte. Y si se lee por los dos lados y dice lo mismo, se llama palíndromo.

—¡Palíndromo! —gritó el chico.

Ni siquiera le dio las gracias. Cortó la comunicación mientras Ana y Gaspar ya regresaban al quiosco gritando como locos:

—¡Palíndromo! ¡Palíndromo!

Un hombre que estaba comprando el periódico se apartó temeroso, como si fuera una consigna terrorista o el grito de guerra de una tribu urbana.

—¿No sabía usted que un palíndromo es una frase que se lee igual de izquierda a derecha que de derecha a izquierda? —le dijo Ana con una sonrisa de oreja a oreja.

El hombre pagó el periódico y se fue corriendo.

La quiosquera extrajo el sobre de debajo de su mostrador, con calma, a cámara lenta.

—Habéis tenido que pedir ayuda por teléfono —les dijo—. No sé yo si...

—¡Yo lo sabía! —protestó Ana—. ¡Mi propio nombre es un palíndromo, lo que pasa es que no acababa de recordar la palabreja!

El sobre cambió por fin de manos.

Y era el camino a la tercera letra y a la siguiente pista.

Capítulo
DOCE CUENTOS PEREGRINOS
Gabriel García Márquez

NO se alejaron mucho del quiosco, pero sí lo suficiente como para que la quiosquera no pudiera verles ni oírles. Bastante les acababa de hacer sufrir. La imagen del instituto, allí, tan cerca, les hizo recordar la raíz de todos sus males.

—Venga, va, ¿qué pone? —se inquietó Gaspar.

—¿Quieres leerlo tú? ¿Por qué me toca a mí siempre? —protestó Ana.

—¿Porque eres la lista? —se animó el chico.

Le dio un codazo en el estómago, bastante fuerte, y acabó de extraer el papel del interior del sobre. Estaban tan nerviosos y excitados que se abalanzaron sobre él, sin ver nada que no fuera otra especie de galimatías terrible.

—¡Ay, ay, ay! —gimió Gaspar, sin que quedara claro si era por la nueva prueba o porque le dolía el golpe.

—Vamos allá —dijo Ana tratando de serenarse.

PRUEBA N.° 3

Esta es una prueba múltiple, así que cuidado, porque si falláis una de las tres partes, vais listos. Se trata de sumar los tres números resultantes de ellas. Pero no son matemáticas, tranquilos. Todo tiene que ver con letras y palabras.

PRIMERA PREGUNTA: ¿Cuál es el único número que no tiene las letras E y O cuando lo escribimos con palabras?

SEGUNDA PREGUNTA: Si ordenáramos alfabéticamente todos los números, ¿cuál sería el primero?

TERCERA PREGUNTA: ¿Cuál es el único número que tiene tantas letras como indica él mismo?

Cuando tengáis los tres números resultantes, los sumáis. Luego sumáis también cada una de las unidades que lo forman hasta que obtengáis un solo número. La letra elegida es la que ocupa el lugar central de ese número.

La de cosas que se pueden hacer con letras y números, ¿verdad?

PISTA PARA EL SIGUIENTE SOBRE

(NO)	DI	VO	DE	NO	LA
NUE	GAS	LA	TAN	SO	SA
FI	ES	EL	QUE	ME	ES
PAR	TE	BU	TA	CA	BRE
TA	CIL?	O	DE	¿A	EN
ÑA	ZON	MAL	EL	ES	LA

Esto es lo que se llama SALTO DEL CABALLO. Supongo que sabéis jugar al ajedrez, porque si no... Mereceríais ya un suspenso solo por eso. Pero claro, como el ajedrez no tiene mandos, a lo peor sois así de tontos. En fin... Resolviendo este juego, conseguiréis averiguar dónde se encuentra el siguiente sobre. La primera sílaba es la de la casilla número 1, es decir, la que tiene la sílaba NO escrita en ella. Partiendo de ahí y siguiendo los movimientos del caballo en el ajedrez, construiréis la frase y sabréis adónde ir.

¡Ánimo!

Terminaron de leer por segunda vez la nota y aun así se quedaron mudos.

—Vaya, está irónica la SOS —resopló Gaspar por fin—. Eso de «La de cosas que se pueden hacer con palabras y números, ¿verdad?» —imitó una voz en falsete con desagrado.

—Tú cállate, a ver si nos oye —le recriminó Ana.

El chico miró a su alrededor. Escrutó atentamente un buzón de Correos, tieso a menos de tres metros de donde estaban, como si dentro pudiera estar la profesora de lengua en plan espía barato.

—Pues anda que eso del ajedrez y los mandos... —bufó también Tasio, herido en su amor propio.

—¿Tú sabes jugar al ajedrez? —le preguntó Gaspar.

—Claro.

—Yo también —dijo Ana.

Gaspar se puso rojo.

—Bueno, no es que juegue mucho, pero al menos sé cómo se mueven las piezas. El salto de caballo es así, ¿ves? —Tasio se agachó, cogió un palito y se lo dibujó en el suelo, sobre la tierra del árbol más cercano—. Se desplaza describiendo una trayectoria en forma de L, dos casillas en dirección horizontal o vertical, y una en dirección perpendicular a la anterior.

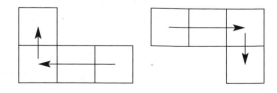

—Primero, hemos de resolver la prueba —quiso centrar el tema Ana.

Optaron por sentarse en el suelo y se concentraron en ella.

Otro largo minuto.

Se dieron cuenta de que estaban bloqueados.

—Tranquilos, ¿vale? —recomendó Ana.

—Sí, ¿cómo era eso de que a veces un árbol no te deja ver el bosque? —hizo memoria Tasio.

—Tú mismo lo has dicho —le hizo ver Ana—. Si te acercas mucho, el árbol te tapa el resto del bosque. Hay que apartarse un poco para verlo todo en perspectiva.

—Si nos apartamos, no podremos leer lo que dice la nota —se hizo el gracioso Gaspar.

Se llevó otro codazo de Tasio.

—¡Bueno, vale ya! ¡Es mi forma de soltar los nervios!

—Va, chicos... —gimió Ana.

De nuevo se concentraron.

—Vayamos por partes —suspiró Ana—. Hay que empezar a decir números y ver cuál es el que no tiene esas dos vocales.

—¿Y si es el tropecientos millones? —objetó Gaspar.

—No puede ser el tropecientos millones, porque a fin de cuentas los números se repiten pasado el cien o el mil —razonó la chica.

—Entonces, no puede ser ni el uno, ni el dos, ni el tres, ni el cuatro, ni el cinco —Tasio los fue mencionando uno a uno para ver si llevaban la E o la O—, ni el seis, ni el siete, ni el ocho, ni el nueve...

—Todas las unidades incluyen las dos letras —reflexionó Ana.

—Hay que ir a las decenas o centenas... —Gaspar secundó a Tasio—. Diez, veinte, treinta, cuarenta...

—Las centenas tampoco sirven —dijo Ana—. Cien, doscientos, trescientos... Todas llevan al comienzo un derivado del propio número comprendido entre el uno y el nueve.

—Mil —dijo de pronto Tasio.

Ana y Gaspar lo miraron.

—El es mil, seguro. Antes no hay otro número tan simple como ese.

Contaron mentalmente, los tres, y poco a poco sus mentes se iluminaron.

—¡Es el mil, sí! —aplaudió Ana.

—Vamos a por el segundo. «Si ordenáramos alfabéticamente todos los números, ¿cuál sería el primero?» —repitió Gaspar la pregunta.

—¿Algún número empieza por A?

—No.

—¿Por B, C, D...?

—¿Dos mil? —lanzó un globo sonda Tasio, animado por su éxito anterior.

—No puede ser tan alto —objetó Ana.

—Pues el dos.

—De momento el dos, que empieza por D.

Gaspar ya estaba recitando números.

—Tres, cuatro... ¡El cuatro empieza por C!, cinco... ¡Y el cinco también pero va antes porque la I de cinco es anterior a la U de cuatro!... Seis, siete, ocho...

Ana cerró los ojos. Tasio se quedó mirando a su amigo, que iba lanzado.

—Doce, trece, catorce...

El silencio hizo que se quedaran expectantes.

—¡Es el catorce! —se reafirmó Gaspar—. Ningún número empieza por A ni por B, y de los que empiezan por C, el catorce es el primero, ¡seguro!

Siguieron contando, hasta comprender que pasado un punto se repetían y que la deducción de Gaspar era correcta.

—Mil y catorce —suspiró Ana—. La tercera pregunta...

—«¿Cuál es el único número que tiene tantas letras como indica él mismo?» —leyó Tasio.

—Uno tiene tres letras, dos lo mismo, tres tiene cuatro, cuatro tiene seis, cinco tiene...

—¡Cinco tiene cinco!

—Vale, vamos a seguir...

—¡No! —Ana frenó a Gaspar—. Si es «el único número» es que no hay más. ¡Hemos dado con él! ¡Es el cinco!

Estaban asombrados por su éxito.

—De acuerdo, sumemos —se lanzó Tasio—. Mil y catorce son mil catorce, más cinco son mil diecinueve.

—Mil diecinueve lo forman un uno, un cero, otro uno y un nueve —tomó el relevo Gaspar—. Eso nos

da... uno más uno más nueve... once... Y once lo forman dos unos, así que uno y uno... ¡dos!

—¡La letra central es una O! —gritó Ana.

Se sintieron muy emocionados. Lo habían resuelto.
Ya tenían tres letras.

Aun así el tiempo apremiaba y no estaban ni a la
mitad del trabajo.

—El «salto del caballo», va.

Tomaron la sílaba de la primera casilla, «NO», y
empezaron a jugar, buscando ante todo la lógica.

—No... la... ta...

—También puede ser: No... es... tan...

—Esperad, necesitamos un bolígrafo para ir mar-
cando las casillas ya utilizadas o nos haremos un lío
—dijo Ana.

Ella misma, como llevaba su pequeña mochila a la
espalda, extrajo uno de su interior. Gaspar y Tasio
iban sin nada. Lo habían dejado todo en el instituto.

—¿Por qué no lo copiamos, y que cada uno siga un
camino? Así avanzaríamos más rápido —propuso Tasio.

Ana también les dio un papel a cada uno. Copia-
ron las 36 sílabas y se concentraron en silencio.

Hasta que Gaspar lo rompió.

—Creo que lo tengo. Aquí me sale algo con sentido... «No está mal. ¿A qué no es tan difícil?» —miró a
los otros dos—. Muy propio de ella.

Ana y Tasio se concentraron en la copia de Gaspar. Quedando menos casillas, la progresión ya fue
mucho mas rápida.

—«No está mal. ¿A que no es tan difícil? El nuevo sobre está... en el buzón... de la casa de...» —leyeron Ana y Tasio al unísono.

Gaspar estaba blanco.

—«... en el buzón de la casa de... Gaspar Oñate Lamela» —exclamó Ana—. ¡Está en tu casa!

—¡Qué diabólica! —alucinó Tasio.

—Da igual. ¡Lo tenemos! —se animó el chico—. ¡A por él!

Capítulo
<small>VIERNES</small> **TRECE**
David Goodis

LLEGARON tan a la carrera a casa de Gaspar que por poco no se llevaron por delante a una vecina al entrar en el vestíbulo. La mujer quedó aplastada en la puerta, jadeando, diciendo que iba a darle un ataque de nervios ante tan manifiesta alevosía. Como nadie le hizo caso, decidió reservarse el ataque para cuando tuviera más público y salió a la calle. Ellos ya estaban ante los buzones, y Gaspar abría el suyo con mano trémula.

En efecto, el sobre estaba allí.

Esta vez, el que extrajo la hoja de su interior fue él.

—Allá vamos —suspiró Ana.

PRUEBA N.º 4

Me propongo afrontar un nuevo reto,
con versos y palabras del pasado,
para ello la pluma he desempolvado
porque pretendo hacer un gran soneto.

Con ganas he encetado otro cuarteto,
puede ser que lo tenga superado.
Mas aunque agora estoy algo cansado,
aún tengo fuerzas para un terceto.

Con tesón las trabas voy doblegando,
me restan cuatro versos y un terceto,
¡parece que esto ya se está acabando!

Como he empezado el segundo terceto,
llego al verso postrero preguntando:
¿de qué cosa carece este soneto?

Pues sí, la pregunta va implícita al final, y la respuesta es tan sencilla... ¿Qué le falta a este soneto, queridos alumnos?

PISTA PARA EL SIGUIENTE SOBRE

Asesinato en el Orient Express	William Shakespeare
El Quijote	Lewis Carroll
Romeo y Julieta	Gabriel García Márquez
La metamorfosis	Miguel Delibes
Cien años de soledad	Jules Verne
Veinte poemas de amor y una canción desesperada	Agatha Christie
Cinco horas con Mario	Franz Kafka
La vuelta al mundo en 80 días	Edgar Allan Poe
El escarabajo de oro	Miguel de Cervantes
Alicia en el País de las Maravillas	Gustavo Adolfo Bécquer

Aquí tenéis diez autores y diez obras. Cruzad a cada autor con la suya, y tanto el escritor y la obra que os sobren, porque no forman pareja, os darán la dirección donde podréis encontrar el siguiente sobre.

Pero tened cuidado...

—La pista es como un examen —murmuró Gaspar.

—Pues anda que la prueba... —Tasio volvió al soneto—. Y encima dice que es sencilla.

Ana ya lo estaba leyendo, despacio.

—Es muy fácil —sonrió de pronto.

—¿Lo tienes? —se quedaron impresionados sus compañeros.

—Si esto me lo dieran en frío, probablemente no sería capaz de verlo —admitió ella—. Pero después de haber superado ya tres pruebas... ¿Qué estamos buscando?

—Letras.

—¿Cuál es la letra que no aparece en este soneto?

—¡La W! —gritó Tasio.

—¡No, la K! —gritó aún más Gaspar.

—Cierto, esas letras no están, pero es mucho más simple que eso, porque entonces habría dudas. Aquí, como la SOS dice, es tan sencillo como que falta... una vocal.

Los dos amigos abrieron los ojos.

—El autor ha hecho este soneto sin emplear la I —dijo Ana.

—Ahí va, es cierto —se quedó boquiabierto Gaspar.

—¿Cómo se puede escribir algo tan largo sin una de las vocales? —se preguntó Tasio.

—Seguro que existen escritores que se han dedicado no solo a hacer sonetos, sino hasta textos más largos, incluso relatos, sin emplear la A o la E —suspiró Ana.

—Sí, hay gente para todo —tuvo que admitir Gaspar.

—¡Tenemos la cuarta letra, la I! —aplaudió Tasio.

—Salgamos a la calle —propuso Ana, puesto que todavía se encontraban en el vestíbulo de la casa de Gaspar—. Me temo que para la pista, tendremos que llamar a Julio o a Esperanza.

Se sentaron en el bordillo y examinaron la lista de diez autores y diez obras detenidamente.

—Está claro que el nombre de la calle será el de un autor —dijo Tasio—. No hay calles con nombres de novelas.

—Busquemos un callejero —propuso Gaspar.

—¿Para qué? Que yo sepa hay una calle Cervantes y una Gustavo Adolfo Bécquer por lo menos, así que puede que también haya una de cualquier otro —objetó Ana.

—Si el nombre de la calle es de un autor, el número estará en la obra —siguió con sus razonamientos Tasio.

—Entonces, eso es fácil...

—Hay varias obras con números —le hizo ver Ana a Gaspar—. Y la SOS nos avisa de que tengamos cuidado.

—Venga, empecemos —propuso Tasio—. *El Quijote* es de Cervantes.

—¡Liiisto! —aplaudió Gaspar alargando la «i».

—*Romeo y Julieta* es de Shakespeare —dijo Ana—. Y *La vuelta al mundo en 80 días,* de Jules Verne.

—*Alicia en el País de las Maravillas...* —se lanzó Gaspar antes de detenerse.

—García Márquez escribió *Cien años de soledad,* seguro —continuó Ana.

—¿Esa de *La metamorfosis* no es la del tipo que se despierta convertido en un insecto? —vaciló Tasio.

—¡Sí, y la SOS nos dijo que el escritor había creado el término «kafkiano», por lo tanto, es de este! —puso el dedo índice sobre el nombre Gaspar—: ¡Franz Kafka!

—Tenemos cinco —les informó Ana—. Y la del *Orient Express,* yo diría que es de Agatha Christie, que era una que se dedicaba a las novelas policíacas.

—Ah, sí, yo creo que vi la película —asintió Gaspar.

Se encontró con la mirada de la chica y se puso rojo.

—¿Qué pasa?

—Seis —dijo Tasio—. ¿Miguel Delibes es poeta?

—No sé si también ha hecho poesía —admitió Ana.

—Es que esta de *Veinte poemas de amor y una canción desesperada...*

—Yo creo que la de Delibes es *Cinco horas con Mario* —hizo memoria Ana—. Hablamos de él al comienzo del curso.

—¿Por qué no llamamos a Julio o a Esperanza? —se rindió Gaspar.

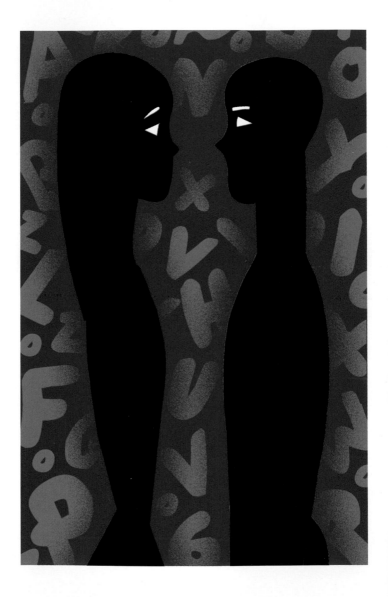

Ana apretó los puños. Le dolía admitir que no sabía tanto.

—*Alicia en el País de las Maravillas* ha de ser de Lewis Carroll.

—¿Y por qué no de ese tal Poe?

—Porque Poe hacia relatos de terror.

—Entonces, solo nos queda *El escarabajo de oro* para él.

Tasio ya marcaba un número.

—¿A quién llamas? —preguntó Gaspar.

—A Esperanza. Lo sacará antes de sus enciclopedias.

Al otro lado se escuchó la voz de la chica. Lo primero que le dijo fue:

—Esperaba que me llamarais. Julio me ha dicho que estás siguiendo las pistas y resolviendo las pruebas para impedir que la SOS os mate.

Las noticias volaban.

—¿Puedes decirnos quién escribió unas obras?

—Adelante.

—*Alicia en el País de las Maravillas.*

—Lewis Carroll —la respuesta fue fulminante—. Esa la sabía yo porque es uno de mis libros favoritos.

—¿*El escarabajo de oro*?

Tasio contó hasta diecisiete.

—Edgar Allan Poe.

—¿*Veinte poemas de amor y una canción desesperada*?

Ahora la cuenta llegó hasta el veintinueve. Ana y Gaspar estaban pendientes de él.

—Pablo Neruda —dijo Esperanza.

—¿Estás segura?

—Oye, rico...

—Vale, esta es la del número. —Tasio se lo dijo a sus compañeros. Luego regresó a Esperanza—. *¿Cinco horas con Mario?*

—Fácil: Delibes.

Solo quedaba Gustavo Adolfo Bécquer sin obra.

—¡Gracias, Esperanza, lo tenemos! —se despidió Tasio.

—¡Calle Gustavo Adolfo Bécquer número veinte! —se levantó el primero Gaspar.

—¡Y esa sí está lejos! ¡A correr! —se sujetó la mochila a la espalda Ana.

—¿Cogemos un taxi?

—¿Lleváis dinero?

La respuesta era obvia, así que se pusieron en camino.

Como para darles más prisa y ponerles alas en los pies, en ese momento el campanario de la iglesia de la plaza se puso a dar la hora.

—¡Vamos, vamos! —los animó Ana, aun sabiendo que ella era la que corría menos.

Atajaron por donde pudieron, se jugaron la vida atravesando calles sin pasar por el semáforo o cruzándolo en rojo, levantaron remolinos de aire a su paso y asustaron a más de una madre y a más de un anciano o anciana con bastón, pero la causa, por una vez, lo merecía. Estaba en juego su propia vida. Mientras eludían coches, motos y personas, cada uno tenía la cabeza centrada en lo único que contaba para ellos en aquel momento: evitar que la profesora de lengua se saliera con la suya.

Se sentían fuertes.

Lo estaban consiguiendo.

Fuertes y convencidos de sus posibilidades, aunque el tiempo apremiaba y cualquiera de las siguientes pruebas podía salirles mal, o fallar en una pista.

Como, por ejemplo, aquella.

El número veinte de la calle Gustavo Adolfo Bécquer era... un banco.

Y encima estaba cerrado.

Capítulo
LAS **SIETE** PARTIDAS
+
EL MISTERIO DE LAS **SIETE** ESFERAS
Alfonso X el Sabio + Agatha Christie

AHORA sí mostraron su consternación.

—¡No puede haber dejado el sobre dentro! —se asustó Ana.

—Estará por ahí, en cualquier parte —Gaspar escudriñó la pequeña fachada.

—¿Y en el cajero automático? —conjeturó Tasio colándose dentro.

Era la única posibilidad, así que se metieron dentro de la cabina y lo revolvieron todo.

Nada.

—Hemos cometido un error, no puede ser tan retorcida —se mordió el labio inferior Ana.

—Ha dicho que tuviéramos cuidado —recordó Gaspar.

—Veamos —Ana estudió de nuevo la hoja con los nombres y las obras.

—No hay error posible —fue firme Tasio—. Sobran Bécquer y la obra de Neruda.

—*Veinte poemas de amor y una canción desesperada* —dijo Ana.

—*Veinte poemas de amor y una canción deses-perada* —lo repitió Gaspar.

—Qué burros somos —lanzó Tasio un profundo suspiro.

—¿Por qué? —lo miraron expectantes.

—Porque no es el número veinte, ¡sino el veintiuno! ¡«Veinte poemas y una canción»! ¡Veintiuno! ¡Por eso nos decía que tuviéramos cuidado, la muy...!

Ana miró al otro lado de la calle.

—¡Pero ahí enfrente hay un cine, y está abandonado, cerró hace tiempo!

Salieron del cajero automático y cruzaron la calle. En efecto, el viejo cine Ideal hacía meses que ya no funcionaba, devorado por las multisalas de los centros comerciales. Ana incluso recordaba que su madre le había dicho que el primer beso se lo dio su padre en ese cine, cuando eran muy jóvenes. Ahora, sin embargo, no lo miró con nostalgia, sino con apremio. Todavía tenía algunas fotografías de las últimas películas exhibidas en las vitrinas de los lados, con los cristales rotos...

En una de ellas vio el sobre.

—¡Ahí! —señaló abriendo los ojos.

Tasio fue el primero en llegar, porque estaba al lado. No le resultó difícil extraer el sobre por entre el hueco de los cristales. Nadie que pasara por allí habría reparado en él.

—Calle Gustavo Adolfo Bécquer 21 —suspiró Gaspar—. Por los pelos...

Se sentaron de nuevo en el bordillo y extrajeron la hoja de papel escrita a mano por la profesora de lengua.

—¡Tenemos cuatro letras y nos faltan cuatro más! —les animó Ana—. ¡Vamos allá!

PRUEBA N.º 5

Este elegante, estupendo, excelso eremita ennoblecido, estaba esperando el eficaz estreno, encerrado entre enormes equipajes en la estación estatal, en el efímero ejercicio elegido, ensombrecido espectro extraordinario, emocionado eco elocuente empeñado en este efecto.

Esto es un tautograma. Bueno, casi, porque hay una letra que lo estropea vilmente. Si descubrís cuál es, ya tenéis la quinta.

PISTA PARA EL SIGUIENTE SOBRE

.... 8ꓳꓳO ǂ ǂ ....

¿Qué os parece esta serie de figuras? Curiosas, ¿verdad? Pues como veis, faltan la primera y la última. Si descubrís cuáles son, tendréis las dos primeras letras del nombre de la persona que guarda el siguiente sobre. Pensad con la cabeza, no con el corazón, y menos con las prisas del hígado o la ansiedad de los riñones.

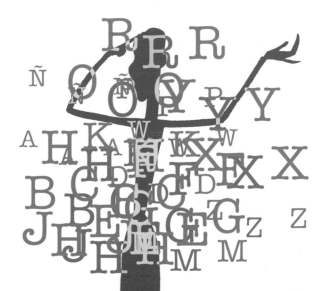

—Vaya palabreja —Gaspar la leyó para estar seguro—: tautograma.

—La SOS se las inventa todas —reconoció Tasio—. Menudo pozo de sorpresas. ¿Por qué no nos ponía estos juegos en clase, en lugar de dar tanta historia y tanto rollo?

—No seas bruto, hombre —le reprochó Ana—. Ya nos dijo que si hubiéramos ido mejor, al final nos habría contado estas cosas.

—Es increíble —se enfadó—. ¡Nos quiere matar y tú aún la defiendes!

—Se ha vuelto loca por nuestra culpa, ¿no?

—¿Y si nos concentramos en resolver los dos problemas? —los detuvo Gaspar—. ¿Habéis visto la hora que es?

No querían ni saberlo.

—Está claro que un tautograma es una forma de escritura en la que todas las palabras empiezan por la misma letra —suspiró Ana.

—¿Y qué letra lo estropea vilmente, como dice ella? —frunció el ceño Gaspar.

—La L —dijo Tasio.

—Todo empieza por E menos ese «la» de ahí en medio, donde pone «equipajes en la estación estatal» y bla-bla-bla —lo confirmó Ana.

—Así que la quinta letra es... ¡la L!

—Chupado —se encogió de hombros ella.

—¿Seguro que no tiene truco? —a Gaspar se le antojaba demasiado sencillo.

—Más difícil es la pista para dar con el siguiente sobre —Tasio se afianzó sobre sus codos.

—Yo nunca había visto unas figuras así —reconoció Ana.

Permanecieron callados unos segundos, tan y tan largos que al final se les hicieron eternos. A su alrededor, el mundo se movía rápido, pero sus mentes, de pronto, funcionaban a cámara lenta. Por más que se esforzaban, no le veían la menor lógica a la concatenación de aquellas formas, y menos para encontrar la primera y la última, y que, además, ellas les dieran como resultado las dos letras iniciales del nombre de la persona que tenía el nuevo sobre.

—Creo que esta vez nos ha pillado —empezó a rendirse Gaspar.

—La carta dice que pensemos con la cabeza —apuntó Ana.

—Es lo que hago —se enfadó él.

Pasaron varios segundos, más de un minuto. Ana incluso sacó el bolígrafo y un papel para intentar hallarle una lógica a la serie de figuras.

Nada.

—Estamos jugando con letras, todo el rato —dijo entonces Tasio—. Letras y palabras.

Ana se quedó paralizada.

—¡Pues claro! —exhaló una bocanada de aire—. ¡El mismo enunciado de la pregunta lo dice: «Si descubrís cuáles son, tendréis las dos primeras letras del nombre de la persona»!

—Ya, ¿y qué? —dijo Gaspar.

—¡Que son letras!

—¿Cómo que son letras?

—¡De alguna forma, son letras! —insistió Ana—. ¿Cómo, si no, vamos a tener las dos primeras letras del nombre de esa persona? ¡Esas figuras representan letras aunque no demos con la fórmula para interpretarlas!

Tasio miraba el escaparate de una tienda situada al otro lado de la calle. Se veían reflejados en el cristal.

Por supuesto que al revés de como estaban, porque en un espejo todo se ve al revés.

—Un espejo —se quedó helado al decirlo.

—¿Qué? —no le entendió su compañero.

—¡Un espejo! —lo captó Ana.

Entonces, con su bolígrafo, trazó una raya vertical por el centro de cada una de las figuras, dividiéndolas en dos partes, una a la derecha y otra a la izquierda.

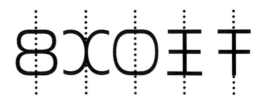

Gaspar abrió los ojos tanto como la boca.

—¡Letras reflejadas en un espejo imaginario! ¡Qué borde!

—No, qué astuta —le corrigió Ana. Y mirando a Tasio agregó—: Y qué listos nosotros por haberlo descubierto, porque esta prueba sin duda no era fácil.

Volvieron a destilar orgullo.

—Entonces las dos letras que buscamos son la A del comienzo y la G del final —mantuvo su atención Gaspar—, porque la serie va de la B a la F. La primera es la A y la última la G.

—¿A quién conocemos cuyo nombre comience por AG? —se quedó en suspenso Ana.

El nombre lo pronunciaron los dos chicos a la vez, pero con mayor entusiasmo Gaspar:

—¡Agamenón!

Capítulo
UN CAPITÁN DE **QUINCE** AÑOS
Jules Verne

AGAMENÓN era el celador del instituto. Un tipo peculiar, con un misterioso pasado. Unos decían que había sido guerrillero en un conflicto latinoamericano, otros que mercenario en una guerra africana, otros afirmaban que se escondía bajo la apariencia de un simple celador para no destacar y para que sus ex mujeres no le encontraran. Las teorías y fantasías no menguaban, iban en aumento, año a año, cada vez que un alumno o una alumna aseguraba saber, «de buena tinta», algo de su oscuro pasado. Agamenón no se esforzaba lo más mínimo en clarificar las cosas, de ahí que cuando alguno de ellos tenía un problema con él, plegara velas por si acaso. La última teoría relacionaba al celador con la mafia, así que, si eso era cierto, las «amistades» del tipo eran más que peligrosas.

Agamenón vivía justo delante del instituto, así que cuando no los vigilaba desde dentro, observaba el centro escolar desde afuera. Lo amaba. Se le notaba. Amaba su trabajo y aquellas paredes llenas de historia. Era un tipo larguirucho, que caminaba convertido en una larga S con patas, dominándolo todo con sus ojillos penetrantes que cabalgaban sobre la nariz, aguileña, y los labios, rectos. Las orejas, muy salidas, le conferían un aire como de mariposa a punto de echar a volar. Otros detalles característicos eran su nuez, muy salida, y sus manos, muy grandes.

Les estaba esperando, porque lo encontraron sentado en el escalón de la portería de su casa con el sobre en la mano, enfundado en su eterno mono azul de trabajo. Al verlos aparecer a la carrera, ni se inmutó.

Pero si les esperaba allí era porque confiaba en ellos.

Y eso les dio moral.

Una inyección de adrenalina.

—¡Agamenón! —jadeó Tasio, deteniéndose el primero frente a él.

—Hola, chicos —los saludó con frialdad.

—¿Cómo vamos de tiempo? —le preguntó Gaspar.

—Justitos.

—Tú sabes de qué va todo esto, ¿verdad? —le interrogó Ana.

—No —fue categórico.

—¡Pero si acabas de decir que vamos justos de tiempo!

—Sé que esto es una carrera contrarreloj, nada más. A mí me dio el sobre la señorita Soledad y me dijo que algunos alumnos pasarían a por él. Y que si no pasaban, es que habían fallado. No hay que ser muy listo para sumar dos y dos.

—¿Nos das el sobre?

—Claro —se lo entregó a Ana.

—Oye —se lanzó Gaspar aprovechando la coyuntura—, ¿es cierto que has sido guerrillero, y mercenario, y...?

—Y paracaidista, y explorador, y piloto, y muchas más cosas, sí —lo dijo como si tal cosa.

—¿Qué haces de celador en un instituto? —se quedó boquiabierto Gaspar.

—Estaba cansado de tanto ir de aquí para allá, y como no tengo hijos...

—¿Nos tomas el pelo? —vaciló Tasio.

—¿Tú que crees?

Iba a decir que sí, pero al asomarse a sus ojos...

Se estremeció.

—Gracias, Agamenón —dijo el chico.

—De nada.

Lo vieron meterse en la casa, y ellos se quedaron de nuevo solos, frente al instituto, con el sobre en las manos de Ana. No lejos, la quiosquera les observaba desde la esquina con la misma sonrisa de burla de antes.

—Vamos a donde no pueda vernos —tiró de sus compañeros Ana.

Se ocultaron entre dos camiones aparcados en una calle lateral y rompieron el sobre para extraer la hoja de papel que debía de conducirles a la letra número 6. Se acercaba el momento decisivo y lo sabían.

Pero, entretanto, la tarde iba declinando lentamente.

—¿Listos? —llenó sus pulmones de aire Ana antes de leer los términos de la nueva prueba y de la siguiente pista.

Tasio y Gaspar asintieron con la cabeza.

El papel decía:

PRUEBA N.º 6

Aurelio	Murciélago
Bisabuelo	Neumático
Contundencia	Orquídea
Degustación	Porquería
Estudiosa	Quebradizo
Fecundación	Republicano
Guitarrero	Sanguíneo
Hipotenusa	Taquillero
Impetuosa	Unipersonal
Jerárquico	Vestuario
Kárate	Zurrapiento
Lloriquear	

PREGUNTA: ¿Qué letra está repetida?

PISTA PARA EL SIGUIENTE SOBRE

En un lugar de la Mancha, de cuyo nombre no quiero acordarme, no ha mucho tiempo que vivía un hidalgo de los de lanza en astillero, adarga antigua, rocín flaco y galgo corredor. Una olla de algo más vaca que carnero, salpicón las más noches, duelos y quebrantos los sábados, lantejas los viernes, algún palomino de añadidura los domingos, consumían las tres partes de su hacienda. El resto dellas concluían sayo de velarte, calzas de velludo para las fiestas, con sus pantuflos de lo mesmo, y los días de entresemana se honraba con su vellorí de lo más fino. Tenía en su casa un ama que pasaba de los cuarenta, y una sobrina que no llegaba a los veinte, y un mozo de campo y plaza, que así ensillaba el rocín como tomaba la podadera. Frisaba la edad de nuestro hidalgo con los cincuenta años. Era de complexión recia, seco de carnes, enjuto de rostro, gran madrugador y amigo de la caza. Quieren decir que tenía el sobrenombre de Quijada, o Quesada, que en esto hay alguna diferencia en los autores que deste caso escriben; aunque por conjeturas verosímiles se deja entender que se llamaba Quejana. Pero esto importa poco a nuestro cuento; basta que en la narración dél no se salga un punto de la verdad.

Seguro que no habíais leído tanto de nuestro inmortal *Quijote* seguido. Pues vais a tener que leer este texto más veces, porque de él depende que halléis el siguiente sobre. Atentos: seguid las pistas mediante las dos fórmulas y la clave final que os propongo y resolveréis el enigma.

Fórmula para dar con el lugar: **3-8-9-74**

Fórmula para dar con quien tiene el nuevo sobre: **62-108-109-110-117-118-119-142-143-144**

Clave para que os lo entregue: **159-160-216-217**

No os pongáis bizcos ni empecéis a maldecirme, que está «chupado». ¿Vais a poneros nerviosos ahora, después de haber llegado hasta aquí?

—Se va poniendo chistosa por momentos —refunfuñó Tasio.

—Se lo debía de estar pasando en grande mientras preparaba estas pruebas —asintió Gaspar—. Y encima, como no lo resolvamos, va y se lo pasa aún más en grande cepillándose a uno de nosotros.

—Bueno, por lo menos tú y yo lo estamos peleando —repuso Tasio—. Igual se inclina por Sonia, Pedro o Fernando, que no han hecho nada y se han rajado.

—¿Os vais a quedar más tranquilos si se carga a uno de ellos? —mostró su desacuerdo Ana.

—Venga, vamos con la prueba —se resignó Tasio.

Examinaron la lista de palabras.

—Esto parece fácil —opinó Gaspar—. Esas palabras están por orden alfabético, aunque no hay ninguna primera letra repetida.

—Y faltan las que empiezan por Ñ, W, X e Y —apuntó Ana.

—Pero no se trata de las que faltan, sino de una que esté repetida. Ese es el truco.

—Una palabra no: una letra —puntualizó Tasio.

Leyeron por segunda vez la lista sin encontrar nada extraño en ella.

—Letras, letras... —repitió para sí misma Ana—. ¿Qué tienen en común estas palabras para que pregunte qué letra está repetida?

—¿Por qué no las contamos? Por ejemplo la A —propuso Gaspar.

—Está en «Aurelio», en «Bisabuelo», en «Contundencia»...

—Hay una A en cada palabra —fue más rápido Tasio.

—¿Y la E?

—«Aurelio», «Bisabuelo», «Contundencia»... También —sintió un ramalazo instintivo Ana.

—Y lo mismo con las otras vocales —destacó Gaspar.

—¡En cada palabra están las cinco vocales! —descubrió Tasio.

Era cierto. Las repasaron una a una hasta llegar a...

—¡Kárate!

—¡Tiene dos aes!

—¿Es la única que está repetida?

—¡Si todas contienen las cinco vocales, y es la única que no tiene las cinco y encima la A está repetida...!

Examinaron las demás, conteniendo la respiración. No había error posible. La anomalía, la excepción, estaba en «Kárate». La letra A se repetía en ella.

—¡La quinta letra! —apretó los puños Tasio.

—¡Qué fuerte! —aplaudió Gaspar—. La verdad es que, una vez resueltas la mayoría de las pruebas y pistas, parece sencillo, ¿a que sí?

—No cantemos victoria —propuso Ana—. Lo del *Quijote* parece complicado.

—Dice que tendremos que leer el texto varias veces.

—Me pregunto por qué.

—«Fórmula para dar con el lugar: 3-8-9-74» —leyó Ana en voz alta.

—En el texto no hay ningún número, ¿verdad? —Gaspar se asomó para estudiarlo con atención.

—Sí, hay un cuarenta y un veinte y un cincuenta... —buscó los números Ana.

—¿Por qué no contamos las palabras? —propuso Tasio.

—¿Por qué? —dijo Gaspar.

—Es lo único que tendría sentido.

—Una, dos tres... La tercera es «lugar» —Ana hizo lo que le decía su amigo—. Cuatro, cinco, seis, siete, ocho... La ocho es «cuyo» y la nueve «nombre»...

—Pues tiene sentido —se sorprendió Gaspar—. «Lugar cuyo nombre».

—Sigue —apremió Tasio a Ana.

Ya no las contó en voz alta. Llegó a la setenta y cuatro, que era «calzas».

—«Lugar cuyo nombre calzas» —vaciló.

Gaspar fue el primero en abrir la boca.

—¡«El zapato»! —gritó—. Nuestro bar.

—¡Esa es la clave! —se le disparó la adrenalina a Ana—. ¡Muy bien, Tasio! ¡Son los números de las palabras en el texto! ¡Ellas nos han dicho el dónde y supongo que ahora nos dirán el quién y el cómo!

Tasio parpadeó, impresionado por su intuición.

—Rápido, mira la segunda fórmula para saber quién tiene el sobre en «El zapato» —apremió Gaspar.

Ana volvió a contar las palabras.

La sesenta y dos era «tres»; la ciento ocho, ciento nueve y ciento diez, seguidas, decían «de los cuarenta»; la ciento diecisiete, ciento dieciocho y ciento diecinueve, también seguidas, decían «a los veinte»; y finalmente, con las tres últimas, nuevamente seguidas, del ciento cuarenta y dos al ciento cuarenta y cuatro, podía leerse «con los cincuenta».

—«Tres de los cuarenta a los veinte con los cincuenta» —no acabó de verlo claro Tasio.

—Hemos de ir a «El zapato». Allí lo veremos —se levantó Gaspar.

—Espera —lo detuvo Ana—. Veamos antes lo de la clave para que nos entreguen el sobre.

Organizó la siguiente frase. Las palabras ciento cincuenta y nueve y ciento sesenta del texto eran «amigo de», mientras que las dos últimas, doscientos dieciséis y doscientos diecisiete, decían «la verdad».

—¿«Amigo de la verdad»?

—Vamos al bar —Tasio repitió el gesto de Gaspar.

Entre los dos ayudaron a Ana a incorporarse. Ella todavía no las tenía todas consigo.

—¿Y si hemos metido la pata? —se inquietó.

—Mira la hora que es —señaló Gaspar.

—Hemos de arriesgarnos —dijo con determinación Tasio.

—Sí, supongo que sí.

Y echaron a correr hacia él.

El bar «El zapato», justo en la misma esquina de la calle, la opuesta del quiosco, era el punto de reunión de la mayoría de ellos cuando llegaban pronto al instituto o cuando salían de él y disponían de tiempo. A veces, incluso, en la media hora de patio les dejaban salir a por alguna cosa si el propio bar del instituto ofrecía el habitual *overbooking* y colapso de muchas mañanas. Y desde luego, era el punto de encuentro más habitual de los profesores para tomar café o escaparse en los ratos libres.

A esa hora estaba relativamente lleno, porque ya ofrecía la primera animación del atardecer. Las mesas ocupadas mostraban un variopinto público formado por ociosos que leían el periódico, parejas haciéndose carantoñas delante de un refresco o señoras tomando una improvisada merienda a base de tapitas. En la barra quedaban los cerveceros o los que hablaban de fútbol. Ellos entraron como tres fieras aceleradas antes de detenerse sin saber qué hacer.

—Pues ya estamos aquí —suspiró Tasio.

—«El zapato» —lo confirmó Gaspar por decir algo.

—«Tres de los cuarenta a los veinte con los cincuenta» —recordó Ana.

Se sintieron un poco perdidos, máxime cuando algunos de los parroquianos les miraron con curiosidad dado lo furioso de su irrupción en el local.

—Hemos de buscar a alguien. El lugar ya está, ahora necesitamos a quién —se serenó Ana.

—Si es así, tres es el número —reflexionó Tasio.

—Y lo otro... la edad —completó el razonamiento Gaspar.

Miraron las mesas una por una.

En la del rincón vieron a tres personas. Un matrimonio y su hija. El hombre rondaría los cincuenta, la mujer los cuarenta y la hija los veinte.

—¡«Tres de los cuarenta a los veinte con los cincuenta»! —apenas si pudo creerlo Ana.

Caminaron hasta ellos, despacio, por si metían la pata y les tomaban por locos o por extraterrestres. Cuando se detuvieron frente al trío se quedaron un poco en blanco.

Hasta que el hombre preguntó:

—¿La clave?

—«Amigo de la verdad» —balbuceó Ana con un soplo de voz.

—¿Qué? —el hombre se llevó una mano a la oreja.

—Es un poco sordo —explicó su mujer.

—Lo ha dicho bien, papá —indicó la muchacha—. Dale el sobre.

—Quiero oírlo, que ya sabéis como es Sole.

—¡«Amigo de la verdad»! —gritaron Ana, Tasio y Gaspar al unísono.

—Vale, vale —asintió el hombre.

Metió una mano en su bolsillo y les entregó el nuevo sobre.

Capítulo
DIECISÉIS ESBOZOS DE MÍ MISMO
Bernard Shaw

IBAN a marcharse, apremiados por la hora y el tiempo, que transcurría cada vez a mayor velocidad, pero Tasio no dejó pasar la pequeña oportunidad que le brindaba el comentario hecho por el hombre.

—Oiga, ¿ha dicho... Sole?

—¿Qué?

—¡Ha mencionado a Sole!

—Sí, y no grites tanto.

—¿La conoce?

—Es prima de ella —señaló a su mujer.

—Pues se ha vuelto loca, ¿lo sabe?

—Depende. La verdad es que sois bastante burros y la tenéis desesperada. Pero yo no creo que esté loca. Tiene un carácter...

—Vámonos, TNT —le apremió Gaspar.

—Estamos metidos en un lío tremendo por su culpa. —El chico no se rindió.

—Cada cual se mete en los líos que quiere y se busca —pareció ponerse de parte de su prima la señora.

—Ya discutiremos esto luego —suplicó Ana.

Los dos tiraron de él. La única que no decía nada era la muchacha, la hija, que tenía los ojos fijos en la mesa. Sin embargo, a Tasio le pareció que estaba sonriendo.

Era hora de seguir con el juego, o lo que fuera aquello. Tan diabólico.

No caminaron mucho al llegar a la calle. Apenas unos pasos y volvieron a sentarse en el bordillo para abrir el sobre.

—¿Por qué estás enfadado? —le preguntó Gaspar a su amigo.

—Porque todo el mundo parece confabulado para fastidiarnos. Ella quiere matar a uno y los demás como si tal cosa, la quiosquera, Agamenón, esa gente del bar...

—¿Leo esto? —les interrumpió Ana.

—Sí, adelante.

Se concentraron en la nueva prueba y la siguiente pista. El texto de la nota de la profesora de lengua decía:

PRUEBA N.º 7

*Es extraño mojar queso en una cerveza
o probar whisky de garrafa.*

Esta frase no es así porque a alguien se le ocurriera ponerse idiota y dedicarse a escribir cosas raras o incomprensibles. Esta frase tiene sentido porque se trata de un pangrama. ¿Y qué es un pangrama, os preguntaréis? Pues averiguadlo y así encontraréis la séptima letra.

PISTA PARA EL SIGUIENTE SOBRE

Yo compadezco a los sastres,
porque de los hombres todos
no hay otros que de más modos
sufran mayores desastres.

Por eso soy su vocero
y, si me lo permitieseis,
os rogaría que fueseis
también su amigo sincero.

Siempre humilde fue su cuna
y, como viven sentados,
nunca fueron encumbrados
en hombros de la fortuna.

No hay uno entre ochenta y nueve
que en mil casos repetidos
no remiende sus vestidos
y los ajenos renueve.

Y entre ciento no habrá uno
que haya subido a un birlocho
o haya probado un bizcocho
en su frugal desayuno.

No les vale estar armados
para cortar sus vestidos:
por la aguja son heridos
y por la plancha quemados.

Un rey hubo cervecero,
y cerrajero hubo alguno
que, infeliz como ninguno,
cayó al golpe del acero.

Hubo papas y soldados,
por supuesto no eran lerdos,
que después de cuidar cerdos
fueron al solio exaltados.

Pero acerca de los sastres,
que por cierto no son rudos,
los anales están mudos
y solo cuentan desastres.

No a los sastres acuséis
de sus percances en medio,
buscad a su mal remedio
y no a infamarlos paséis.

En su taller encorvados
los veréis mustios y cuerdos,
pues solo un brazo y tres dedos
mantienen siempre ocupados.

Allí, lector, no penetres,
allí llueven los petardos
de los blancos, de los pardos,
de todos los petimetres.

Porque no faltan belitres
que, a estafar acostumbrados,
hacen con esos cuitados
el oficio de los buitres.

¡Cuántos chalecos fiados
y pantalones medidos
que luego han sido pedidos
y nunca han sido pagados!

Dura verdad, no me arrastres
a decir que en ambos mundos
hierven rencores profundos
en contra de nuestros sastres.

Vienen a nuestros mercados
baratísimos vestidos
por los franceses vendidos
y por nosotros comprados.

Preciso es que confeséis
que están por esto arruinados,
mas no por ser desgraciados
de su desgracia abuséis.

Esta hermosa (y larga) prueba de ingenio se llama «Los sastres» y es de autor anónimo. Qué cosas, legar algo a la humanidad y que no se sepa que lo has hecho tú. Eso es porque antes había gente muy modesta, que solo hacía su trabajo bien hecho, sin pretender la fama. En fin, a lo que íbamos. El siguiente sobre se encuentra en la calle Mayor. Pero ¿en qué número? Ah, es sencillo: solo tenéis que sumar TODOS los números que aparecen en el poema y restarle mil. Todos, incluso los medios. La portera del edificio tiene el sobre.

Ni que decir tiene que, como os equivoquéis en un solo número, no vais a dar con la casa, y la calle Mayor, ya lo sabéis, es la más larga, así que no podéis ir casa por casa antes de las ocho.

¡Abrid los ojos!

—Si es que parece que cada vez se lo esté pasando mejor —advirtió Tasio.

—No debe de haber disfrutado ni nada preparando todo esto —Gaspar no apartaba los ojos del larguísimo poema de los sastres—. Pero parece sencillo, ¿no? Quiero decir que ahí solo sale un número, el ochenta y nueve de este párrafo —puso un dedo en el cuarto cuarteto.

—Primero la prueba —insistió Ana.

—¿Qué es un pangrama? —volvió al orden Gaspar.

—De eso se trata. Hay que llamar a Julio.

Tasio recuperó el número en la memoria de su móvil y pulsó el dígito de «llamada». El tono, al otro lado, le indicó que su salvación informática estaba comunicando.

—¡Maldita sea! —protestó.

—Bueno, vamos a resolver lo del poema —concedió Ana.

—Pero si ya está —insistió Gaspar—. Es el ochenta y nueve. No hay más número que ese.

—Releámoslo despacio, ¿vale? —quiso asegurarse ella—. Dice que sumemos todos los números, y lo pone en mayúscula.

—Incluso los medios —Tasio puso cara de no entender nada—. Seguro que esto también tiene truco.

—Y además dice que le restemos mil, es verdad —reflexionó Gaspar.

Releyeron el poema, cada cual para sí mismo y en silencio.

—Fijaos —señaló Tasio—. En el cuarto, antes del ochenta y nueve, aparece la palabra uno.

—Y en la línea de debajo está el mil, así que ya son mil noventa —asintió Gaspar.

Nuevo silencio.

—¿Contará este «un» con el que empieza el séptimo cuarteto?

—No, porque es un artículo, no un número —estuvo segura Ana—. Si fuera uno o una, sí.

Leyeron un poco más.

—Aquí, en el cuarteto número once. Hay un tres.

—Mil noventa más tres son mil noventa y tres.

—Pues no hay más.

—Releámoslo otra vez —quiso estar segura Ana.

—No hay más, seguro.

—¿Así que mil noventa y tres menos mil... es la calle Mayor número noventa y tres.

—Parece tan fácil...

—No lo va a complicar todo, digo yo.

Ana y Tasio miraron a Gaspar.

Y mientras ella hacía otra lectura más, Tasio llamó por segunda vez a Julio.

Esta vez tuvo más suerte.

—¡Estabas comunicando! —le gritó.

—Caray, tengo otras cosas que hacer, y era mi abuela —se defendió el genio informático.

—¡Nosotros en peligro de muerte y tú hablando con tu abuela!

—¿Cómo vais?

—Estamos cerca. Si conseguimos esta letra, solo nos faltará una.

—¿Qué necesitas?

—Saber qué es un pangrama.

—Marchando.

Tasio se mantuvo a la espera. Ana seguía leyendo el poema. De pronto dijo:

—¡Qué burros somos!

—¿Por qué? —se inclinaron sobre ella los dos chicos.

—¡Porque esto está lleno de números! —gritó la chica—. ¡Todo el poema es un inmenso número! ¡Incluso hay dos medios, como decía el texto de la pregunta!

Pensaron que se había vuelto loca.

—¿Dónde están los números? —alucinó Gaspar.

Julio reapareció en el oído de Tasio con la respuesta a su pregunta.

—Un pangrama es un pequeño texto en el que aparecen todas las letras del abecedario, sin las dobles, claro, nada de CH o LL.

—Gracias, tío.

Les repitió lo dicho por Julio, pero ahora su atención estaba centrada en la sorprendente revelación de Ana.

—¿No os dais cuenta de que absolutamente todos los versos terminan con un número? —les hizo ver la chica.

Lo comprobaron.

—Sastres, todos, modos, desastres...

—Vocero, permitieseis, fueseis, sincero...

—Tres, dos, dos, tres, cero, seis, seis, cero... —fue cantando Ana.

Tasio y Gaspar se quedaron pálidos.

—¡Qué pasada! —admitió el primero.

—¿Cómo te has dado cuenta? —preguntó el segundo.

—Porque «ochenta y nueve» rimaba con «renueve», y luego he visto «bizcocho» y «birlocho»... Se me ha encendido la bombillita.

—Yo no lo habría visto en años —admitió Gaspar.

—No seas bobo, pues claro que lo habrías notado —le defendió Ana—. Lo que pasa es que estamos colapsados, y tan cerca del final...

—Venga, vamos a sumar —propuso Tasio.

—En el primer cuarteto son tres, dos, dos y tres.

—En el segundo son cero, seis, seis y cero.

—En el tercero hay uno, dos, dos, uno.

Tasio y Gaspar iban averiguando los números con los que terminaban las palabras de los versos, y Ana los anotaba en un papel con su bolígrafo.

—En el cuarteto diez están los medios, es verdad —suspiró Gaspar.

Siguieron contando.

Al final, Ana hizo la suma.

—Teníamos mil noventa y tres de antes, y ahora he sumado ciento setenta —dijo.

—Total mil doscientos sesenta y tres, menos mil... ¡El número de la calle Mayor es el doscientos sesenta y tres!

Gaspar ya se disponía a ponerse en pie.

—Espera —lo detuvo Ana—. Veamos primero cuál es la respuesta de la prueba. Lo del... pangrama.

—Esa es fácil —dijo Tasio—. Si es una frase en la que están todas las letras del abecedario, solo hay que ver qué letra no aparece en ella.

Examinaron la frase: «*Es extraño mojar queso en una cerveza o probar whisky de garrafa*». Luego, iniciaron la búsqueda.

—Está la A, la B, la C...

Al llegar a la L se detuvieron. Era la que faltaba en el pangrama.

—Pues ya está: la séptima letra es la L —se relajó Ana.

—Ya tenemos siete —dijo Tasio—. ¿Y si fueran suficientes para saber el lugar donde está? No vendrá de una letra.

—Vamos a seguir las reglas del juego —le previno Ana—. Puede que sí sea cierto que nos esté espiando o alguien nos siga en su nombre. Es más, una letra es una letra. Imagínate que con solo siete nos sale una palabra totalmente distinta a la que obtendríamos con las ocho que dice que tiene ese sitio. Y no olvides que nos falta la última pista. Sin duda, será la clave final.

Estaban atrapados.

—Sí, hay que seguir —asintió Gaspar.

—¿Qué hora es? —quiso saber Tasio.

—Apenas quince minutos para las ocho —se estremeció la chica—. Y si hemos de ir de un lado a otro...

—No llegamos —se puso fatalista él.

—Pues habrá que correr más, así que... —Gaspar, ahora sí, fue el primero en salir disparado hacia la calle Mayor.

Tardaron menos de cinco minutos en alcanzar su destino y entonces...

Volvieron a quedar consternados cuando vieron que el doscientos sesenta y tres... era otro banco, justo en la esquina del parque de La Colina, tan cerrado a esa hora como el anterior.

Capítulo
DIECISIETE CUENTOS
Y DOS PINGÜINOS
Daniel Nesquens

¡**N**O puede ser! —jadeó Gaspar, agotado por la carrera.

—¿Qué hemos hecho mal? —casi lloró Ana.

Por si acaso, entraron en el cajero automático y lo registraron. Nada.

Escudriñaron cada rincón, y también la fachada. Ningún sobre a la vista.

—Déjame el papel —pidió Tasio.

Se apoyó en la pared y leyó por enésima vez el texto, despacio, deletreando cada palabra por si hubiera en ella un número oculto.

—Eso es que los artículos cuentan como números —afirmó Gaspar.

—No creo que se permitiera ese desliz —dijo Ana—. Menuda es la SOS con la precisión.

Tasio cerró los ojos.

—Lo tengo —suspiró.

—¿Cómo que...?

—¿En serio?

Se lo enseñó colocando su dedo índice sobre uno de los versos, el primero del décimo cuarteto.

—No hemos contado este «sastres» ni ese «ciento» que están en mitad de la línea.

—¡Es cierto! —abrió los ojos Ana—. ¡Se nos ha pasado!

—¡Hemos visto el uno y el mil del cuarteto cuatro y el tres del once, pero no nos habíamos dado cuenta de que ahí, escondidas, había más cifras! —rezongó Gaspar.

—Así que el número es el trescientos sesenta y seis —Tasio miró la acera frontal—. ¡Que está justo ahí delante!

—¡Menos mal! —bufó su compañero—. Si hubiera estado en la otra punta, sí que no llegamos.

Cruzaron la calle. Encontraron a la portera del edificio en su garita, haciendo calceta. Cuando les vio, no tuvo la menor duda de quiénes eran. Sonrió con expresión seráfica y les dio el sobre que tenía sobre la mesita.

—Oiga, ¿quién vive aquí? —le preguntó Tasio.

—La señorita Soledad, por supuesto —la sonrisa se hizo mayor—. Pero no está en casa, claro.

—Claro —suspiró, dejando caer la cabeza sobre el pecho.

—Tenemos el último sobre —le recordó Gaspar.

Ana ya lo estaba abriendo en la calle. Se reunieron con ella y leyeron la nota.

El posible fin de su pesadilla.

PRUEBA N.º 8

La última letra, la número ocho, es la última de la palabra que sobra de esta lista.

Arroz	*Ocas*
Alas	*Subo*
Animal	*Sabor*
Aparta	*Campeón*
Rata	*Raro*
Lava	*Sanar*
Orbe	*Notar*
Social	*Orcas*
León	*Adulas*
Natas	*Nenitas*

PISTA FINAL

En esta sopa de letras hay nada menos que 35 escritores escondidos, horizontal, vertical y diagonalmente, de derecha a izquierda y de izquierda a derecha, pero siempre de arriba abajo (os lo he puesto fácil). Tenéis que encontrarlos todos porque con las casillas no utilizadas conseguiréis leer la frase decisiva, la que os conducirá al final del juego.

Porque es un juego... aunque sea a vida o muerte, ¿verdad? ¡Suerte si habéis sido capaces de llegar hasta aquí, y recordad que a las ocho en punto me iré a por uno de vosotros si no habéis dado conmigo! ¡Ja, ja, ja!

```
S  T  E  I  N  B  E  C  K  C  D  O  L  D  G
Q  I  M  M  B  K  D  A  H  L  I  I  O  E  A
U  C  E  R  V  A  N  T  E  S  C  N  P  L  R
E  A  R  R  D  F  B  L  A  K  G  E  I  C
V  S  S  L  R  K  E  O  A  T  E  A  D  B  I
E  S  O  P  O  A  I  R  R  C  N  L  E  E  A
D  R  N  A  P  S  I  N  O  G  S  D  V  S  M
O  Z  O  L  A  N  I  F  G  D  E  O  E  A  A
S  H  A  K  E  S  P  E  A  R  E  S  G  N  R
V  I  A  N  D  C  A  N  U  B  U  L  A  D  Q
C  E  P  A  A  R  T  E  Q  A  R  R  U  E  U
E  E  R  P  O  E  D  L  O  R  C  A  I  R  E
L  U  O  N  N  A  B  O  K  O  V  L  T  S  Z
A  T  I  D  E  M  C  H  E  J  O  V  O  E  B
E  A  E  N  C  C  O  R  T  A  Z  A  R  N  O
```

—Creo que la mataré yo a ella si lo conseguimos —lamentó Gaspar.

—Vamos a lograrlo. Ahora ya es fácil —dijo Ana con determinación—. La pista final es solo cuestión de paciencia.

—¿Y la última letra?

—Chupado —aseguró Ana—. ¿Recordáis lo de los palíndromos?

—Sí.

—Pues esto es lo otro, lo de los bifra... bifro...

—Bifrontes —lo dejó claro Tasio, haciendo gala de su buena memoria.

—Exacto: palabras que se leen por los dos lados con significados distintos.

—Arroz... zorra —comenzó a examinarlas Gaspar—. Alas salas, animal lámina, aparta atrapa, rata atar...

Llegaron a la decisiva los tres al mismo tiempo.

—¡Campeón! —exclamaron.

No podía leerse al revés, porque «noepmac» no significaba nada.

—¡Tenemos la octava letra: la N! —suspiró emocionada la chica.

—Esto nos da... dos L, dos A, una C, una O, una I y una N —hizo memoria Tasio.

—No nos metamos ahora con eso, vamos a sacar autores de esta sopa de letras —los apremió Ana dando otro vistazo de soslayo a su reloj.

—Por si acaso, ten la línea abierta con Esperanza —le sugirió Gaspar a su compañero—. Creo que nos hará falta, porque de nombres de escritores no estamos lo que se dice sobrados.

Tasio llamó a la chica. Ella sí estaba pendiente del teléfono.

—¿Cómo vais?

—Ya casi estamos, pero son casi las ocho y nos falta la última pista. Hemos de encontrar 35 nombres de autores en una sopa de letras. ¿Preparada?

—Adelante.

Ana ya los estaba encontrando. Gaspar y Tasio se le sumaron.

—En las horizontales veo... ¿Steinbeck? —se detuvo en la primera línea.

—Steinbeck —le dijo Tasio a Esperanza por teléfono. Y se lo deletreó pacientemente.

Ana siguió buscando nombres.

—John Steinbeck —reapareció la voz de Esperanza—. Hizo grandes obras como *Las uvas de la ira* o *La perla* y...

—No te enrolles —la detuvo Tasio—. Solo confírmalo —y dirigiéndose a Ana le dijo—: Steinbeck.

La chica enmarcó el nombre con el bolígrafo.

—Yo ya tengo más —señaló el cuadrado lleno de letras—. En la línea dos está Dahl, por Roald Dahl, el de *Charlie y la fábrica de chocolate,* en la tres está Cervantes y en la seis Esopo, el de las fábulas.

—¿Y este Zola de la línea ocho?

—No me suena de nada —admitió ella.

—Zola —dijo Tasio.

Otra breve espera.

—Émile Zola, sí —lo confirmó Esperanza.

Ana ya había detectado el siguiente.

—Shakespeare en la nueve... Aquí aparece un posible nombre, Vian.

—Vian —dijo Tasio—. Uve, i, a, ene.

Esperanza tardó un poco más.

—*Escupiré sobre vuestra tumba.*

—¿Qué? —no entendió nada el chico.

—Que digo que esa es una de sus obras.

—Vale, Vian —asintió en dirección a Ana.

—Poe y Lorca en la doce... Nabokov en la trece...
—miró a Tasio—. No sé quién es, pero tiene que ser
un escritor, seguro. Más abajo están Chejov en la catorce y Cortázar en la quince, que también me suenan
a escritores.

No tuvo que decírselo a Esperanza, porque había
puesto el móvil junto a los labios de Ana.

La chica del otro lado fue de nuevo rápida.

—Chejov y Cortázar seguro. Nabokov... —pasaron
apenas cinco segundos—. Sí, es uno muy famoso.

—¡Ya tenemos doce! —se frotó las manos Gaspar.
No quisieron mirar el reloj.

—Vamos a por los verticales —se lanzó Ana—.
Quevedo y Cela en la uno... Aquí hay un Emerson en
la tres, pero no hace falta que le preguntes porque
está claro que es un nombre... Ninguno en la cuatro...
ni la cinco... —sus ojos iban a toda velocidad, buscando palabras hilvanadas por en medio de la sopa de letras, que con razón se llamaba así el juego—. ¡Kafka
en la seis! —se alegró de tropezar con otro después
de comprobar que tampoco había ninguno en la siete,
la ocho y la nueve . ¡Baroja, abajo en la diez! ¡Y
Dickens en la once, Galdós en la doce y Lope de Vega
en la trece!...

—¡Y ya está! —la ayudó Gaspar—. ¡Delibes y An-
dersen en la catorce y García Márquez en la quince!

—¿Cuántos llevamos? —preguntó Tasio.

—Doce de antes y... veamos... once de ahora...
¡Veintitrés!

—Estos son los más difíciles —dijo Ana poniendo el bolígrafo en diagonal para tratar de descubrir los nombres que se escondían en este sentido de la lectura—. Veamos primero de derecha a izquierda...

Pareció no encontrar ninguno, hasta que dio con el primero.

—¡Dante!... ¡Y aquí está Clarín!

—¿Quién es ese? —dudó Gaspar.

—Ya te lo explicaré luego, pero está en el libro de literatura —chasqueó la lengua Ana—. ¡Capote... Ende, el de *La historia interminable*... y Eco!

—Aquí veo un Rueda —señaló Gaspar.

Ana no lo tuvo claro.

—¿Rueda? —preguntó Tasio por teléfono.

Otros pocos segundos, que iban amontonándose demasiado rápido.

—Sí —se lo confirmó Esperanza.

—No veo más —suspiró Ana.

—Seis. Llevamos veintinueve —hizo el cálculo Gaspar.

Quedaban los diagonales de izquierda a derecha.

—Aquí está Borges... King, que supongo que será Stephen King... Verne... ¿Sierra i Fabra?

—Con este nombre es escritor, seguro.

—¿Sierra i Fabra? —le preguntó Tasio a Esperanza.

—¿No recordáis que leímos un libro suyo el año pasado? —le refrescó la memoria la chica al otro lado de la línea.

—¡Ah, sí! —le hizo un gesto de aprobación a Ana mientras la escuchaba—. Un tío majo.

—Pues... listos —dijo ella.

—Veintinueve y cuatro... —Gaspar se quedó blanco—. ¡Treinta y tres!

—¡Maldita sea! —lamentó Tasio—. ¡Faltan dos!

—Han de estar en las diagonales, seguro —suspiró Ana, sin dejarse abatir por la adversidad—. Vamos, ayudadme, buscad todo lo que parezca un nombre, por raro que sea.

—¿Y si es ruso con muchas y griegas o equis? —se asustó Gaspar.

—¡Pues lo encontramos y ya está!

Ana volvió a poner el bolígrafo, primero en las diagonales de derecha a izquierda. No se dejó llevar por el pánico. Actuó con cautela, leyendo todas las palabras aunque las formasen letras al parecer inconexas.

—¿Puede ser Pla? —se detuvo de pronto.

Esperanza se tomó su tiempo mientras ella seguía, por si acaso.

—¡Josep Pla, sí! —gritó la voz de la línea telefónica.

—Uno, falta uno —apretó los puños Gaspar.

Los tres se lanzaron sobre la sopa de letras.

—No está en las diagonales de derecha a izquierda —dijo Ana pasando a las de izquierda a derecha.

Lo vieron casi al mismo tiempo, Gaspar y ella.

—¡En la misma diagonal de King sale Uris!

La espera final.

—¡León Uris, autor de *Éxodo!* —les cantó Esperanza.

—¡Treinta y cinco! —saltó Gaspar.

—Gracias —se despidió Tasio de su interlocutora soltando la tensión nerviosa—. ¡Te llamo luego!

—¡Jobar con la SOS! —a Gaspar el corazón le latía a mil—. ¡Mira que lo ha puesto difícil!

—Ahora hemos de formar una frase con las letras de la sopa de letras que no hayan sido empleadas en ninguno de los nombres de los escritores —llegó al borde de la excitación Ana.

La sopa de letras había quedado ahora así:

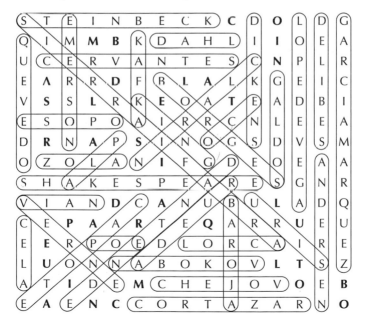

Empezaron a leer las letras de las casillas no utilizadas en ningún nombre:

—Com... binad... las... letras... id al par...que... último ban... co.

Los tres se envararon.

—¿Parque? ¿Qué parque? —se asustó Gaspar.

—¿Seguro que pone eso? —se inquietó Tasio.

Ana marcó las letras sueltas, una a una, para confirmarlo.

—«Combinad las letras id al parque último banco» —lo volvió a leer, ahora de un tirón.

—Entonces las ocho letras...

—Las ocho letras nos dirán el nombre del parque, y en el último banco está ella. De eso se trata.

—¡Ay, Dios! —Gaspar alzó los ojos para ver el reloj de la torre.

Las ocho menos tres minutos.

—¡Rápido, las letras!

Ana ya tenía el bolígrafo en la mano. No tuvo que sacar nada de la mochila de su espalda porque usó el sobre de la última prueba y la pista final. Escribió las ocho letras con mayúsculas y en el orden en que las habían conseguido.

C A O I L A L N

—Ahora sí que la hemos pringado —reconoció Gaspar.

—Tan cerca, a un paso... —lamentó Gaspar.

—Es una combinación de ocho letras, y eso en matemáticas nos da un número de probabilidades... —se sintió perdida por primera vez Ana.

Las ocho menos dos minutos.

—Y aunque lo descifremos no llegamos.

—Imposible.

—Nos la ha jugado.

Estaban lejos de sus casas, tanto que ella podía cumplir su amenaza y asesinar a uno antes de refugiarse bajo el amparo de sus hogares.

Una sombra siniestra se abatió sobre ellos.

Y era real: la noche extendía su primer manto sobre la ciudad.

El bloqueo duró apenas diez segundos, aunque se les hicieron eternos.

Luego, el *flash*.

—De todas formas... —musitó Tasio estremeciéndose al comprender lo evidente.

—Solo hemos de pensar en un lugar de por aquí que tenga esas letras, ¿no? —reflexionó Gaspar.

—Y a fin de cuentas... ¡es un parque! —se dio cuenta Ana de lo más simple y esencial—. ¿Cuántos parques hay en la ciudad?

Se quedaron blancos.

Habían estado a punto de rendirse cuando la simpleza de la respuesta la tenían casi delante de los ojos.

Estaban frente al parque de La Colina.

La Colina.

Miraron las ocho letras.

L A   C O L I N A

—¡Está ahí! —gritó Ana.

Las ocho menos un minuto.

—¡A la carrera!

Y salieron como una exhalación, con los talones pegados a sus traseros.

Capítulo
DIECIOCHO HOYOS
P.G. Wodehouse

EL reloj comenzó a tañer la primera de las ocho campanadas cuando todavía estaban atravesando el tramo inicial del parque.

Y el lugar tenía varias entradas.

Si ella se iba por otro lado...

—¡Desplegaos! —ordenó Tasio—. ¡Hay que evitar que se vaya o no la atraparemos antes de que cumpla su amenaza!

Asintieron con la cabeza, aun sabiendo que eso entrañaba un riesgo evidente: estar solos cuando las manecillas del reloj sobrepasaran las ocho de la tarde.

Y apenas quedaban unos segundos.

Tasio siguió por el centro, Ana por la izquierda y Gaspar por la derecha. No tenían ni idea de cuál podía ser el último banco. Sin embargo...

—Si hemos resuelto la pista final en la calle Mayor... ¡el último banco ha de ser el más alejado de la entrada de ese lado! —comprendió Tasio.

Ana y Gaspar también acababan de darse cuenta de eso. Cada uno por su lado, intentaban obstaculizar

una posible huida de la profesora de lengua por las salidas de ambos lados. Claro que quedaba la de la parte
de atrás, justo la más cercana al banco en el que se suponía que les aguardaba.

La octava campanada.

—Vamos, tío, dale —se exigió más y más Tasio.

Sorteaba niños jugando, con pelotas, en patinete,
correteando de un lado a otro; madres con cochecitos,
novios caminando abrazados con cara de estar en
la luna, ancianos con su bastón, el variopinto mundo
de los parques en un día de primavera, aunque ya fuese una hora tardía. El buen tiempo favorecía el apro-
vechamiento hasta el último minuto de las horas de la
tarde.

Los bancos estaban llenos de gente, pero en ninguno estaba la persona que buscaban.

Los tres, cada uno por su lado, convergieron al final de una plazoleta de la que salía una calle interior,
con bancos a ambos lados. Tendría unos treinta metros de largo. El último banco estaba cerca del muro
que cerraba el parque por ese lado. Desde lejos parecía estar lleno de gente.

—¡Ha de ser ese! —señaló Gaspar.

Quemaron sus energías finales.

Ya eran un poco más de las ocho. Apenas unos segundos.

Llegaban tarde.

Pero la profesora de lengua tenía que estar allí, todavía.

Tasio y Gaspar cogieron a Ana, cada uno de una mano, para no dejarla atrás. La llevaron en volandas. Fue la furia final.

A medida que se acercaban al banco..., las personas que allí estaban se les hicieron más y más familiares.

Ellas también miraban en su dirección, sonriendo.

La directora del instituto, la señora Bienvenida; el jefe de estudios, el señor Valerio...

¡Y ella!

La SOS.

Solo que había alguien más, una cuarta persona.

¡El inspector Atienza, el policía!

Capítulo
DIECINUEVE ROSAS
Mircea Eliade

SINTIERON tanta alegría como alivio.

—¡Bien! —gritó Gaspar.

—¡La han cogido, la han cogido! —estalló Tasio.

Ana fue la primera en darse cuenta de la sonrisa de la señorita Soledad. Parecía muy feliz.

De todo, menos triste o compungida.

Y ni mucho menos detenida.

Los tres chicos se detuvieron, jadeando por el esfuerzo, delante del cuarteto del banco. Todos sonreían de oreja a oreja y les miraban con cara... como de chiste. Hasta el policía, tan serio en clase y ahora risueño, en plan festivo total.

—Os dije que lo conseguirían —habló la profesora de lengua, dirigiéndose a sus compañeros de banco.

—Nunca lo hubiera creído —le respondió el jefe de estudios.

—Eso es porque no tenéis fe —suspiró la señorita Soledad.

—No, si listos son, pero como no les da la gana de estudiar, y menos de leer... —suspiró la directora.

—Y tenías razón —repuso el inspector de policía—. Son esos dos de los que me hablaste. ¿Quién es TNT y quién GOL?

—Tasio es TNT —indicó la maestra señalándole con el dedo—. Y Gaspar es GOL.

¿Cómo sabían eso?

Lo pasaron por alto. Ana, Tasio y Gaspar se miraron entre sí. No entendían nada. O tal vez lo entendían todo pero se negaban a aceptarlo. No después de las horas que acababan de pasar, corriendo de un lado a otro y resolviendo más problemas que en un examen.

—¿Qué está... sucediendo aquí? —apretó las mandíbulas Tasio.

—Está claro, ¿no? —dijo la profesora de lengua.

—¿Nos... han tomado el pelo? —balbuceó Gaspar.

—No —fue terminante ella—. Os he demostrado que sois listos, y que si leyerais, lo seríais más, y que en las letras y en las palabras se esconde un mundo infinito de belleza y diversión, bien sea a través de unos simples juegos como los que os he puesto, o bien sea a través de la lectura de una buena novela.

—¿Así que no se ha vuelto loca? —Ana pareció alegrarse.

—Enfadada sí estoy —admitió la señorita Soledad—, y a veces incluso frustrada y con ganas de asesinaros —sonrió—. Pero de loca, nada. Siempre pienso que en el curso siguiente leeréis más, o lograré convenceros de la maravilla que eso representa.

—¿Ha montado todo este lío para demostrarnos...? —apenas si pudo seguir Ana.

—Sí.

—¿Estaban todos conchabados? —quiso saber Tasio.

—Buena expresión —admitió el jefe de estudios—, aunque quedaría mejor y más apropiada «confabulados».

—¿Qué pasa, que no podemos divertirnos también un poco nosotros? —manifestó la directora—. Cuando la señorita Soledad nos expuso su plan, nos pareció genial. Ella quería daros una oportunidad, y nosotros le dijimos que no había nada que hacer.

—Nos alegra haber perdido —reconoció el señor Valerio.

—Sí, ella ha ganado —siguió la señora Bienvenida—. Lo habéis conseguido. Y eso que algunas pruebas se las traían.

Gaspar miró al inspector Atienza.

—¿Usted es policía? —preguntó.

—¿Yo? —la idea se le antojó ridícula—. No, claro que no. Pero actor aficionado, sí.

—Es mi primo Baltasar —dijo la señorita Soledad.

—¿Ni siquiera se llama Manuel Atienza León?

—Baltasar García Majandrín.

BGM. Sus iniciales ni siquiera decían nada. Era un amorfo.

Ana, Tasio y Gaspar se quedaron sin habla.

—Eh, ¿qué os pasa? —frunció el ceño la profesora de lengua.

—¿A usted, qué le parece? —Tasio seguía siendo el más enfadado.

—¡Lo habéis conseguido!

—¿Y el canguelo que nos ha hecho pasar pensando que iba a matar a uno de nosotros?

—Os lo merecéis, por lo mal que me lo hacéis pasar a mí durante todo el curso —asintió vehemente ella—. ¿O crees que yo me siento feliz viendo cómo desperdiciáis vuestra vida y vuestra inteligencia? ¿Cómo puedo haceros entender que leer os salvará el futuro, os hará mejores personas, más dignas de este mundo, más responsables y válidas? ¡Esto ha sido un juego, Tasio, pero lo que os espera no lo es, y tenéis que estar preparados! ¡Venir al instituto no lo es todo, ni aprobar las asignaturas! ¡Habéis de alimentar esto! —señaló su frente.

—Bueno, no les sueltes ahora un rollo dogmático —intervino su primo—. Bastante tienen con asimilar esta... experiencia, por llamarlo de alguna forma.

—¿Vais a leer el libro que os propuse? —preguntó la maestra.

—Lo leímos anoche —dijo Gaspar.

Logró sorprenderla.

—¿Ah, sí?

—La vimos tan disgustada que...

—¿Y qué tal?

—Nos gustó —admitió el chico.

—Mucho —añadió Tasio.

—Entonces, voy a aprobaros —los premió la profesora de lengua.

Se les detuvo el corazón.

—¿De verdad?

—No solo por haber leído el libro, sino también por haber resuelto las pruebas y haber llegado hasta aquí.

—Ana nos ha ayudado mucho, y ella ya lee y estaba aprobada —admitió Tasio.

—A ella le subiré la nota a sobresaliente.

—Gracias —se quedó boquiabierta la chica.

—¿Quién más os ha echado una mano?

—Esperanza Ferrer y Julio Serradell, desde sus casas.

—¿Sonia Romero, Pedro Cerezo y Fernando Cuevas...?

No podían mentir. Era absurdo hacerlo. La quiosquera, los del bar, la portera de la casa..., todos les habían visto solo a ellos tres.

—Creía que seríais más —hizo una mueca de resignación la maestra—. Pero me vale con vosotros.

—Los más burros de la clase —bajó la cabeza Gaspar.

—No digas eso —le cortó el jefe de estudios—. Cada uno es lo que quiere ser y responde según se siente. Si quieres ser un tonto, serás un tonto. Si te sientes tonto, serás un tonto.

—Eso es lo que da leer —aprovechó para decir la señorita Soledad—: Fuerza, convicción y carácter, seguridad en uno mismo.

Poco a poco, la idea del aprobado era la que más les entraba en la cabeza. La furia de Tasio menguó. El pasmo de Gaspar quedó atrás. En el fondo, estaban empezando a sentir ganas de reír y echar a correr de nuevo, para disfrutar de aquel momento.

—Podéis sentiros orgullosos —la directora se puso en pie.

—Nosotros hemos de irnos —la secundó el jefe de estudios—. Se hace tarde.

El falso policía y la profesora de lengua los imitaron.

—Hasta el lunes —se despidió ella.

—¿Va a... contar esto? —frunció el ceño Tasio.

—Desde luego. Y ya podéis llamar al resto para decirles que ni estoy loca ni voy a matar a nadie.

Encima, serían héroes.

Los cuatro adultos echaron a andar tranquilamente en dirección a la salida del parque. Ellos se quedaron tal cual, de pie, convertidos en estatuas de piedra. Todas aquellas horas yendo de un lado a otro y resolviendo problemas lingüísticos y ahora, tras frenar en seco y llevarse la sorpresa de sus vidas...

—¡Gracias! —gritó Ana de pronto.

Sin volver la cabeza ni dejar de caminar, la profesora de lengua levantó su mano derecha y correspondió con ese sencillo gesto a la última palabra de la chica.

Capítulo
VEINTE MIL LEGUAS
DE VIAJE SUBMARINO
Jules Verne

NO reaccionaron hasta que ellos desaparecieron de su vista.

Entonces, Tasio soltó una bocanada de aire.

—¡Qué fuerte! —lo resumió todo.

—Resulta que es una tía legal —asintió Gaspar.

—Es más que legal —dijo Ana—. Nos quiere.

Dejó que la palabra penetrara lentamente en el alma de sus dos amigos.

Se hacía muy tarde para todos, especialmente para ella. Había dicho que llegaría de ocho a ocho y media. Claro que, cuando contase en su casa lo sucedido aquella extraordinaria tarde...

Igual no la creían.

Gaspar pensó en su padre, felicitándolo por el aprobado.

Tasio se dijo que en cuanto estuviese solo, intentaría recordar cada momento de lo sucedido.

—Esta noche os haré copia de las ocho cartas —dijo Ana—. Yo me quedo con los originales. Me los he ganado.

Ninguno puso la menor objeción. Habían sido un equipo, pero ella lo había hecho todo de forma desinteresada, por amistad.

Sin decir nada más, echaron a andar de regreso a la puerta principal, la que daba a la calle Mayor, atravesando la isla de paz en medio de la ciudad. El anochecer era hermoso, y el parque brillaba con los tonos del ocaso. De pronto, la vida volvía a estar llena de colores.

Sus mentes eran un inmenso castillo de fuegos artificiales.

—Hay que llamar a los demás —recordó Ana.

—Que se esperen —dijo en tono malévolo Tasio.

—Lo mismo digo —le respaldó Gaspar.

Incluso Ana sonrió con malicia.

Iba en el centro, con la mochila en la espalda, así que extendió sus dos brazos y les atrapó las manos con las suyas en un gesto de cariño y camaradería. Los dos chicos sintieron el vivificante contacto y sus corazones se aceleraron.

Casi era el mejor de los premios.

A partir de ese instante, cada segundo se hizo un poco más largo, y un poco más corto, y...

—Me gustaría escribir esto —suspiró Tasio.

—«El asesinato de la profesora de lengua» —lo bautizó Gaspar.

—Bueno, aquí ha sido al revés, no se trata de que hayan matado a una profesora, sino de que ella iba a cometerlo —dijo Ana.

Unos pocos pasos más.

Estaban aprobados, era viernes, tenían todo un fin de semana por delante, se acercaba el verano, se acababan de convertir en héroes, y...

—De todas formas, es el asesinato que nunca existió —se encogió de hombros Ana mientras apretaba un poco más las manos de sus dos compañeros—. Aunque lo hayamos resuelto de fábula.

AGRADECIMIENTOS
Y OTRAS HISTORIAS

AL contrario que las matemáticas, que odié de niño y aprendí a respetar de mayor (por eso escribí *El asesinato del profesor de matemáticas* hace unos años), siempre he amado la lengua y la literatura, a pesar de que mi maestra me ponía ceros por tener demasiada fantasía. Escribir y leer han sido dos de las grandes pasiones de mi vida, por esa razón este libro es un homenaje a todas las profesoras y a todos los profesores de lengua, por su amor, su dedicación y su voluntad. Sigo creyendo que leer es lo único verdadero que existe en la vida para aprender y ser mejores personas, más que estudiar, y que quienes nos enseñan a hacerlo y, a ser posible, a escribir, merecerían el cielo eterno.

Aunque todas las pruebas y juegos de esta novela son mías y se me han ocurrido a mí, he de agradecer algunos hallazgos novedosos a diversas entidades y personas, como internet, la web «Juegos de palabras» o el erudito Francisco J. Briz Hidalgo, autor del poema «¿Qué le falta a este soneto?». Gracias también a los escritores y a las obras citadas como títulos de los capítulos, a los que aparecen a lo largo de la historia, y a quienes se dedican a hacer jeroglíficos, pangramas, tautogramas, sopas de letras, saltos de caballo, crucigramas y tantas otras variaciones de juegos en las páginas de los periódicos o en la red.

J.S.i F. 2007

INDICE